JN016157

国土交通省大臣官房官庁営繕部監修

敷地調査共通仕様書（令和４年改定）及び参考資料

令和５年版

一般社団法人　公共建築協会

刊行にあたって

国土交通省大臣官房官庁営繕部では、国家機関の建築物の整備や保全指導等を効率的かつ的確に実施するため、計画、設計、施工、保全等の各分野において、技術基準を定めており、その一つに「敷地調査共通仕様書」があります。

「敷地調査共通仕様書」は、官庁施設の敷地調査業務を発注する際に、共通的な契約図書として使用されるものとして業務の標準的な仕様を示したもので、令和４年３月に改定がなされました。

(一社)公共建築協会では、「敷地調査共通仕様書」に、設計図書作成の参考となる敷地調査特記仕様書の作成例や関係法令・基準等を加え、『敷地調査共通仕様書（令和４年改定）及び参考資料　令和５年版』として刊行することにいたしました。

本書は、官庁施設の敷地調査業務の発注に当たっての参考図書として取りまとめたものですが、国家機関はもとより、地方公共団体等においても広くご活用いただけるよう願うものです。

令和５年３月

一般社団法人　公共建築協会
会　長　春田　浩司

目　次

敷地調査共通仕様書（令和４年改定）

参考資料

敷地調査共通仕様書

（令和４年改定）

この共通仕様書は、国土交通省大臣官房官庁営繕部及び地方整備局営繕部等が官庁施設の営繕を実施するための基準として、国土交通省大臣官房官庁営繕部が制定したものです。

国 営 整 第 183 号
平成23年12月27日
最終改定　国 営 整 第 151 号
令和 4 年 3 月 14 日

敷地調査共通仕様書

令和4年改定

1章　一般共通事項

1節　一般事項

1.1.1　適用範囲

(a) 敷地調査共通仕様書（以下「敷地共仕」という。）は、建築物等に関連する敷地調査業務に適用する。

(b) 敷地共仕に規定する事項は、別の定めがある場合を除き、受注者の責任において履行するものとする。

(c) 敷地共仕の2章以降の各章は、1章と併せて適用する。

(d) 敷地共仕の2章以降の各章において、一般事項が1節に規定されている場合は、2節以降の規定と併せて適用する。

(e) すべての設計図書（仕様書、図面、現場説明書及び現場説明書に対する質問回答書）は、相互に補完するものとする。ただし、設計図書間に相違がある場合の優先順位は、次の(1)から(5)の順番のとおりとし、これにより難い場合は、1.1.7による。

(1) 質問回答書（(2)から(5)に対するもの）

(2) 現場説明書

(3) 特記仕様書

(4) 図面

(5) 敷地共仕

1.1.2　用語の定義

敷地共仕において用いる用語の定義は、次のとおりとする。

(1) 「業務」とは、敷地測量及び建築物その他の調査並びに地盤調査に関する業務をいう。

(2) 「監督職員」とは、契約書に規定する監督職員をいう。

(3) 「受注者等」とは、当該業務請負契約の受注者又は契約書の規定により定められた主任技術者をいう。

(4) 「主任技術者」とは、契約の履行に関し業務の管理及び統括等を行う者で、契約書の規定に基づき、受注者が定めた者をいう。

(5) 「担当技術者」とは、主任技術者のもとで業務を担当する者で、受注者が定めた者をいう。

(6) 「監督職員の承諾」とは、受注者等が監督職員に対し、書面で申し出た事項について監督職員が書面によって了解することをいう。

(7) 「監督職員の指示」とは、監督職員が受注者等に対し、業務の実施上必要な事項を書面によって示すことをいう。

(8) 「監督職員と協議」とは、協議事項について、監督職員と受注者等とが結論を得るために合議し、その結果を書面に残すことをいう。

(9) 「監督職員の検査」とは、作業の各段階で受注者等が確認した作業状況等について、受注者等より提出された資料に基づき、監督職員が設計図書との適否を判断することをいう。

(10) 「監督職員の立会い」とは、業務の実施上必要な指示、承諾、協議、検査及び調整を行うため、監督職員がその場に臨むことをいう。

(11) 「監督職員に報告」とは、受注者等が監督職員に対し、業務の状況又は結果について書面をもって知らせることをいう。

(12) 「監督職員に提出」とは、受注者等が監督職員に対し、業務にかかわる書面又はその他の資料を説明し、差し出すことをいう。

(13) 「特記」とは、1.1.1(e)の(1)から(4)に指定された事項をいう。

(14) 「書面」とは、発行年月日及び氏名が記載された文書をいう。

(15) 「業務関係図書」とは、実施工程表、業務計画書、写真その他作業並びに試験等の報告及び記録に関する図書をいう。

(16) 「JIS」とは、産業標準化法（昭和24年法律第185号）に基づく日本産業規格をいう。

(17) 「業務検査」とは、契約書に規定する業務の完了の確認をするために発注者又は検査職員が行う検査をいう。

1.1.3　官公署その他への届出手続等

(a) 業務の着手、作業、完了に当たり、関係官公署その他の関係機関への必要な届出手続等を遅滞なく行う。

(b) (a)に規定する届出手続等を行うに当たっては、届出内容について、あらかじめ監督職員に報告する。

1.1.4　業務実績情報の登録

業務実績情報を登録することが特記された場合は、登録内容についてあらかじめ監督職員の確認を受けたのちに、次に示す期間内に登録の手続きを行うとともに、登録されたことを証明する資料を、監督職員に提出する。ただし、期間には、土曜日、日曜日、国民の祝日に関する法律（昭和23年法律第178号）に定める国民の祝日（以下「祝日」という。）は含まない。

(1)　業務受注時　　　　契約締結後10日以内

(2)　登録内容の変更時　変更契約締結後10日以内

(3)　業務完了時　　　　業務完了後10日以内

なお、変更時と業務完了時の間が10日に満たない場合は、変更時の提出を省略できるものとする。

1.1.5　書類の書式等

(a)　書面を提出する場合の書式は、別に定めがある場合を除き監督職員の指示による。

(b)　敷地共仕において書面により行わなければならないこととされている指示、請求、通知、報告、承諾、協議及び提出については、電子メール等の情報通信の技術を利用する方法を用いて行うことができる。

1.1.6　設計図書等の取扱い

(a)　設計図書及び設計図書において適用される必要な図書を整備する。

(b)　設計図書及び業務関係図書を、業務のために使用する以外の目的で第三者に使用させない。また、その内容を漏えいしない。ただし、あらかじめ監督職員の承諾を受けた場合は、この限りでない。

1.1.7　疑義に対する協議等

(a)　設計図書に定められた内容に疑義が生じた場合、現場の状況により設計図書によることが困難又は不都合が生じた場合は、監督職員と協議する。

(b)　(a)の協議を行った結果、設計図書の訂正又は変更を行う場合の措置は、契約書の規定による。

(c)　(a)の協議を行った結果、設計図書の訂正又は変更に至らない事項は、1.2.3(a)による。

1.1.8　業務の一時中止に係る事項

次の(1)又は(2)のいずれかに該当し、業務の一時中止が必要となった場合は、直ちにその状況を監督職員に報告する。

(1)　業務の着手後、周辺環境問題等が発生した場合

(2)　第三者又は業務関係者の安全を確保する場合

1.1.9　履行期間の変更に係る資料の提出

(a)　契約書の規定に基づく履行期間の短縮を発注者より求められた場合は、協議の対象となる事項について、可能な短縮日数の算出根拠、変更工程表その他の協議に必要な資料を、監督職員に提出する。

(b)　契約書の規定に基づく履行期間の変更についての協議を発注者と行うに当たっては、協議の対象となる事項について、必要とする変更日数の算出根拠、変更工程表その他の協議に必要な資料を、あらかじめ監督職員に提出する。

1.1.10　文化財その他の埋蔵物

業務の実施に当たり、文化財その他の埋蔵物を発見した場合は、直ちにその状況を監督職員に報告する。その後の措置については、監督職員の指示に従う。また、当該埋蔵物の発見者としての権利は、法律の定めるところにより、発注者が保有する。

2節　業務関係図書

1.2.1　実施工程表

(a)　業務の着手に先立ち、実施工程表を作成し、監督職員の承諾を受ける。

(b)　契約書の規定に基づく条件変更等により、実施工程表を変更する必要が生じた場合は、作業等に支障がないよう実施工程表を遅滞なく変更し、当該部分の作業に先立ち、監督職員の承諾を受ける。

(c)　(b)によるほか、実施工程表の内容を変更する必要が生じた場合は、監督職員に報告するとともに、作業等に支障がないよう適切な措置を講ずる。

(d)　監督職員の指示を受けた場合は、実施工程表の補足として、週間工程表、月間工程表等を作成し、監督職員に提出する。

1.2.2　業務計画書

(a)　業務の着手に先立ち、業務の総合的な計画及び各作業の具体的な計画を定めた業務計画書を作成し、監督職員に提出する。ただし、あらかじめ監督職員の承諾を受けた場合は、この限りでない。

(b)　業務計画書の内容を変更する必要が生じた場合は、監督職員に報告するとともに、作業等に支障がないよう適切な措置を講ずる。

1.2.3　業務の記録

(a)　監督職員の指示した事項及び監督職員と協議した結果について、記録を整備する。

(b)　業務の全般的な経過を記載した書面を作成する。

(c)　業務に際し、試験を行った場合は、直ちに記録を作成する。

(d)　次の(1)から(3)のいずれかに該当する場合は、業務の記録及び写真等を整備する。

　(1)　後日の目視による検査が不可能又は容易でない部分の作業を行う場合

　(2)　作業の適切なことを証明する必要があるとして、監督職員の指示を受けた場合

　(3)　設計図書に定められた作業の確認を行った場合

(e)　(a)から(d)の記録について、監督職員より請求されたときは、提出又は提示する。

3節　業務管理

1.3.1　業務管理

(a)　設計図書に定められた業務を完了させるために、業務管理体制を確立し、品質、工程、安全等の管理を行う。

(b)　契約書の規定に基づき、業務の一部を第三者に委任し、又は請け負わせた者に対し、業務関係図書及び監督職員の指示を受けた内容を周知徹底する。

1.3.2　主任技術者及び担当技術者

(a)　主任技術者の資格又は能力は、特記による。

(b)　主任技術者は、担当技術者の資格又は能力を満たす場合は、兼務することができる。

(c)　受注者は、主任技術者及び担当技術者の資格又は能力を証明する資料を提出し、監督職員の承諾を受ける。

(d)　主任技術者は、契約図書（契約書及び設計図書）等に基づき、業務に関する技術上の管理を行う。

(e)　担当技術者は、設計図書等に基づき、適正に業務を実施する。

1.3.3　現場作業

現場作業は、設計図書及び業務計画書並びに監督職員の承諾を受けた実施工程表等に従って行う。

1.3.4　現場作業条件

(a)　作業時間

(1)　行政機関の休日に関する法律（昭和63年法律第91号）に定める行政機関の休日に作業を行わない。ただし、設計図書に定めのある場合又はあらかじめ監督職員の承諾を受けた場合は、この限りでない。

(2)　設計図書に作業時間等が定められている場合で、その時間を変更する必要がある場合は、あらかじめ監督職員の承諾を受ける。

(3)　設計図書に作業時間等が定められていない場合で、夜間に業務の作業を行う場合は、あらかじめ理由を付した書面を監督職員に提出する。

(b)　(a)以外の作業条件は、特記による。

1.3.5　現場作業中の安全確保及び環境保全

(a)　労働安全衛生法（昭和47年法律第57号）、環境基本法（平成5年法律第91号）、騒音規制法（昭和43年法律第98号）、振動規制法（昭和51年法律第64号）、大気汚染防止法（昭和43年法律第97号）、水質汚濁防止法（昭和45年法律第138号）その他関係法令等に従い、作業に伴う災害の防止及び環境の保全に努める。

(b)　作業中の安全確保に関しては、常に業務の安全に留意し、現場管理を行い、災害及び事故の防止に努める。

(c)　現場作業の安全衛生に関する管理は、主任技術者が責任者となり、労働安全衛生法その他関係法令等に従ってこれを行う。

(d)　気象予報又は警報等について、常に注意を払い、災害の予防に努める。

(e)　作業に当たっては、作業箇所並びにその周辺にある地上及び地下の既設構造物、既設配管等に対して、支障をきたさないような作業方法等を定める。ただし、これにより難い場合は、監督職員と協議する。

(f)　作業の各段階において、騒音、振動、大気汚染、水質汚濁等の影響が生じないよう、周辺環境の保全に努める。

(g) 作業に当たっての近隣等との折衝は、次による。また、その経過について記録し、遅滞なく監督職員に報告する。

(1) 地域住民等と業務の作業上必要な折衝を行うものとし、あらかじめその概要を監督職員に報告する。

(2) 作業に関して、第三者から説明の要求又は苦情があった場合は、直ちに誠意をもって対応する。

1.3.6 災害時の安全確保

災害及び事故が発生した場合は、人命の安全確保を優先するとともに、二次災害の防止に努め、その経緯を監督職員に報告する。

1.3.7 養生

既存施設等について、汚染又は損傷しないよう適切な養生を行う。

1.3.8 後片付け

現場作業の完了に際しては、後片付け及び清掃を行う。

1.3.9 現場作業の検査

設計図書に定められた場合及び監督職員の指示を受けた場合は、監督職員の検査を受ける。

1.3.10 現場作業の立会い等

(a) 設計図書に定められた場合及び監督職員の指示を受けた場合は、監督職員の立会いを受ける。この際、適切な時期に監督職員に対して立会いの請求を行うものとし、立会いの日時について監督職員の指示を受ける。

(b) 監督職員の立会いに必要な資機材及び労務等を提供する。

4節 業務検査

1.4.1 業務検査

(a) 契約書に規定する業務を完了したときの通知は、次の(1)から(3)に示す要件のすべてを満たす場合に、監督職員に提出することができる。

(1) 設計図書に示すすべての業務が完了していること。

(2) 監督職員の指示した事項がすべて完了していること。

(3) 設計図書に定められた業務関係図書及び記録の整備がすべて完了していること。

(b) 契約書に規定する部分払いを請求する場合は、当該請求に係る出来形部分等の算出方法について監督職員の指示を受けるものとし、当該請求部分に係る業務について、(a)の(2)及び(3)の要件を満たすものとする。

(c) 契約書に規定する指定部分に係る業務完了の通知を監督職員に提出する場合は、指定部分に係る業務について、(a)の(1)から(3)の要件を満たすものとする。
(d) (a)から(c)の通知又は請求に基づく検査は、発注者から通知された検査日に検査を受ける。
(e) 業務検査に必要な資機材及び労務等を提供する。

5節　成果品その他

1.5.1　成果品その他
(a) 成果品のうち報告書としてまとめられるものは整理し、白焼き製本して監督職員に提出する。仕上がり寸法はA4版とし、提出部数は特記による。
(b) 測量、建築物調査等の図面は、筒に納め、調査名称、図面名称を記入して提出する。
(c) 記号は、国土交通省大臣官房官庁営繕部「建築工事設計図書作成基準」及び「公共測量作業規程の準則　付録7（公共測量標準図式）」による。
(d) 記録写真及び現況写真の提出については、特記による。
(e) 電子納品に当たっては、国土交通省大臣官房官庁営繕部「建築設計業務等電子納品要領」及び「官庁営繕事業に係る電子納品運用ガイドライン【営繕業務編】」による。

2章　敷地測量
1節　一般事項

2.1.1　適用範囲及び種別
(a) この章は、建築物等の敷地並びに敷地周囲の道路等の測量（測量法第4条、第5条及び第6条に該当しない測量）に適用する。
(b) 測量の種別は次により、適用及び範囲は特記による。
(1) 平面測量
(2) 水準測量

2.1.2　担当技術者
測量法（昭和24年法律第188号）に基づく測量士の有資格者とする。ただし、主任技術者が測量士の場合は、敷地測量に係る十分な能力を有する者とする。

2.1.3　敷地境界点
(a) 敷地の境界点の確認は、所有者、管理者等関係者の立会いにより行う。
(b) 立会い者の立場、氏名、立会い年月日及び打合せ事項を記録し、1.2.3により監督職員に提出する。

2.1.4　測点

(a)　測点の標示杭等は、45mm角、長さ450mm程度の木杭又はびょうを打込み、主要な測点を塗料等で標示する。

(b)　杭等による標示ができない場合は、監督職員と協議する。

2.1.5　縮尺

提出図の縮尺は、特記による。

2.1.6　成果品その他

(a)　測量結果は、図面、計算書等に記入し、成果品として提出する。

(b)　成果品の内容は、表2.1.1による。

表2.1.1　成果品の内容

測量の種別	名　称
平面測量	平　面　図
	求　積　図
	測量計算書
水準測量	高　低　図
	縦断図面
	横断図面

(c)　図面の用紙は、普通紙とする。

(d)　図面の用紙サイズは、特記による。特記がなければ、A1版程度とする。

(e)　図面は、CADデータを提出する。

(f)　野帳の提出は、特記による。

2節　平面測量

2.2.1　適用範囲

この節は、平面測量に適用する。

2.2.2　測量の方法

(a)　平面測量の基準となる点は、4級基準点以上の基準点又はこれと同等の精度を有すると認められる街区基準点等とする。これにより難い場合は監督職員と協議する。

(b)　平面測量は、近傍の基準点に基づき、放射法又は多角測量により行うものとする。

(c)　平面測量は、敷地境界点及び主要な部分について行い、座標値により表示する。

(d)　座標値は、平面直角座標系（平成14年国土交通省告示第9号）に規定する世界測地系に従う直角座標とする。

(e) その他の場合の測量は、特記による。

2.2.3 測量の許容値

(a) 放射法による場合の許容値

隣接する敷地境界点間の全辺について、観測で得られた座標値により計算した距離と現地で測定した距離の較差が表2.2.1の値を超えた場合には再測を行う。

表2.2.1 較差の許容値

区分 / 距離	平 地	山 地	摘 要
20m未満	10mm	20mm	Sは点間距離の計算値
20m以上	S/2,000	S/1,000	

なお、現地の観測条件等によりRTK-GNSS法又はネットワーク型RTK-GNSS法により敷地境界点の観測を行う場合は、監督職員と協議する。この場合における座標値の観測については、表2.2.2を標準とし、座標値は2セットの観測から求めた平均値とする。

表2.2.2 RTK-GNSS法又はネットワーク型RTK-GNSS法による観測の標準

使用衛星数	観測回数	データ取得時間	セット間較差の許容範囲		摘 要
5衛星以上	FIX解を得てから10エポック（連続）以上を2セット	1秒	ΔN	20mm	X、Y座標と比較も可
			ΔE	20mm	

(b) 多角測量による場合の許容値

多角測量の許容値は表2.2.3により、閉合差が表の値を超えた場合は、再測を行う。

表2.2.3 多角測量の許容値

	基準点2点を含む結合多角・単路線	敷地境界点のみで形成する単位多角形
水平位置の閉合差	$15cm + 10cm\sqrt{N}\cdot\Sigma S$	$5cm\sqrt{N}\cdot\Sigma S$

N：辺数、ΣS：路線の合計長（km）

2.2.4 真北の測量

(a) 真北の測量は、特記による。

(b) 測定の方法は次により、適用は特記による。特記がなければ、(1)とする。

(1) 既設の基準点及び敷地境界等の座標値により計算で求める方法

(2) 日影観測による方法

(3) 太陽観測による方法

2.2.5 平面図

(a) 平面図には、地形、建築物、工作物、立木等地上物件の位置を明示するほか、名称、所在地名、地番、縮尺、磁北線、真北線（測定を行った場合）、磁針偏差、敷地周辺距離、内角、敷地に接する道路、川等を記入する。

(b) 真北線は、平面図上に30cm以上の直線で示すものとし、基準となる敷地境界線等に対する角度を記入する。なお、基準となる敷地境界線等は監督職員の指示による。

2.2.6 求積図

(a) 求積図は、座標法により面積を算出し、三斜法により対比する。

(b) 求積図には、敷地の所在地名、地番、面積計算表、採用した基準点及び境界点の座標値を記入する。

2.2.7 測量計算書その他

測量計算書等の成果品には、測量の精度その他の資料となる事項を記入する。

3節 水準測量

2.3.1 適用範囲

この節は、水準測量に適用する。

2.3.2 方眼線

(a) 方眼線の方向は、特記による。特記がなければ、監督職員の指示による。

(b) 方眼線の間隔は、特記による。特記がなければ、表2.3.1による。

表2.3.1 方眼線の間隔

敷地面積（m^2）	10,000未満	10,000以上
方眼線間隔（m）	10	20

2.3.3 測点

測点は、方眼点のほか、各方眼線上において縦断面図及び横断面図の描けるような諸点（道路、擁壁等の法肩及び法尻、敷地及び建築物等の周囲並びに周辺道路の中心線等）とする。

2.3.4　ベンチマーク

(a)　敷地内に任意の水準点（以下「ベンチマーク」という。）を設け、これにより高さを測定する。ベンチマークの高さの基準は、特記がなければ、測量法施行令（昭和24年政令第322号）第2条第2項に規定する日本水準原点を基準とする高さとし、東京湾平均海面（T. P.）により表記する。

(b)　ベンチマークの設置方法は、特記による。特記がなければ、監督職員の立会いを受けて、敷地内にコンクリート杭等により移動しないように設置し、その周囲を養生する。ただし、敷地内に移動のおそれのない固定物のある場合は、これを代用することができる。

2.3.5　測量の許容値

水準測量の許容値は、表2.3.2とし、これを超えた場合は、再測を行う。

表2.3.2　水準測量の許容値

ベンチマーク	水準点及び固定点によって区分された区間の往復観測値の較差	$20\text{mm}\sqrt{\text{S}}$
ベンチマーク以外の測点	ベンチマークを基準とした観測値の誤差	

S：観測距離（片道、km）

2.3.6　等高線

(a)　等高線の記入は、特記による。

(b)　等高線の間隔は、特記による。特記がなければ、表2.3.3による。

表2.3.3　等高線の間隔

平たん地	250mm ごと
傾 斜 地	500mm 又は 1,000mm ごと

2.3.7　高低図

高低図には、ベンチマークの位置、高さ、測点の高さ及び方眼線の方位角を記入する。ただし、平面測量を同時に行う場合は、2.2.5による平面図を利用する。

2.3.8　縦断面図及び横断面図

(a)　縦断面図及び横断面図の断面箇所は、2.3.2(b)の方眼線の間隔による。

(b)　縦断面図及び横断面図の縮尺は、特記による。特記がなければ、表2.3.4による。

表2.3.4　縦横断面図の縮尺

種　別	縮　尺	備　考
縦断面図 横断面図	高低差方向 1/50 水平方向 1/200	2.3.3の測点を描く

3章　建築物その他調査

1節　一般事項

3.1.1　適用範囲及び種別

(a)　この章は、敷地内の建築物、工作物、立木並びに敷地内及び敷地周囲の排水設備、電気設備、機械設備等の調査に適用する。

(b)　調査の種別は次により、適用及び範囲は特記による。

(1)　建築物調査

(2)　排水調査

(3)　工作物及び立木調査

(4)　電気設備調査

(5)　機械設備調査

(6)　敷地の履歴調査

(c)　調査は、現況調査及び資料調査により行う。

3.1.2　現況調査及び資料調査

(a)　現況調査

(1)　現況調査は、調査場所において、目視等により確認できる範囲で行う。

(2)　調査のため、部分取り壊し、地盤掘削等の作業を行う場合には、特記による。

(b)　資料調査

資料調査は、調査区域の管理者及び関係機関において、調査上必要な図面及びその他の資料により行う。調査において、地中埋設物（3.1.1(b)により調査対象としたものを除く）の存在、土壌汚染等のおそれがある場合は、直ちに監督職員に報告する。

(c)　(a)及び(b)の調査結果を照合し、相違の確認を行う。

(d)　調査結果の照合が困難な場合には、監督職員と協議する。

3.1.3　担当技術者

担当技術者は、特記による。特記がなければ、監督職員の承諾した者が行う。

3.1.4　成果品その他

(a)　調査結果は、図面に記入し、成果品として提出する。

(b)　成果品の内容は、表3.1.1による。

表 3.1.1　成果品の内容

調査の種別	名　称
建築物調査	建築物調査図
排水調査	排水調査図
工作物及び立木調査	工作物及び立木調査図
電気設備調査	電気設備調査図
機械設備調査	機械設備調査図

(c)　図面の用紙は、普通紙とする。

(d)　図面の用紙サイズは、特記による。特記がなければ、A1 版程度とする。

(e)　図面は、CAD データを提出する。

2 節　建築物調査

3.2.1　適用範囲

この節は、建築物の調査に適用する。

3.2.2　建築物調査

(a)　建築物調査は、建築物の形状、大きさ、構造種別、仕上げの概要等について行う。

(b)　建築物調査図の内容は、表 3.2.1 による。

表 3.2.1　建築物調査図の内容

図面名称	記 載 事 項	縮　尺
平 面 図	各階平面、屋根伏（寸法記入）	1/100、1/200
立 面 図	4 面	
断 面 図	原則として 2 方向（寸法記入）	
矩 計 図	箇所は特記による（寸法記入）	1/20 ～ 1/50
仕上げ表	仕上げ、下地	―

3 節　排水調査

3.3.1　適用範囲

この節は、排水の調査に適用する。

3.3.2　排水調査

(a)　排水調査は、敷地内及び敷地隣接の道路（公道）にある排水ますの種類、大きさ、天端高及びます底高、排水本管の種類、管径、管底高、流水方向、こう配、敷地内排水との取合い関係等について行う。

(b)　下水道放流区域外の場合は、し尿浄化槽設備の設置に関する地方公共団体の条例、指導を調査する。

(c)　排水調査図の内容は、表3.3.1による。

表3.3.1　排水調査図の内容

図面名称	記載事項	縮　尺
調査平面図	排水ます、管の配置（寸法記入）	1/200～1/600
詳　細　図	平面、断面その他（寸法記入）	1/20～1/50

4節　工作物及び立木調査

3.4.1　適用範囲

この節は、工作物及び立木の調査に適用する。

3.4.2　工作物調査

(a)　工作物調査は、敷地内の門、囲障、残存基礎、鉄塔、防空壕、擁壁、石積、舗装、井戸等の位置、形状、大きさ等について行う。

(b)　工作物調査図の内容は表3.4.1による。

表3.4.1　工作物調査図の内容

図面名称	記載事項	縮　尺
調査平面図	工作物の配置（寸法記入）	1/200～1/600
詳　細　図	平面、断面、その他（寸法記入）	1/20～1/50

3.4.3　立木調査

(a)　立木調査は、敷地内の樹木について樹種、高さ、幹まわり（高さ1.2mの位置）、葉張り、数量、移植の可否等について行う。

(b)　調査対象立木は、特記による。特記がなければ、すべての立木の調査とする。

(c)　立木調査図の内容は、表3.4.2による。

表3.4.2　立木調査図の内容

図面名称	記載事項	縮　尺
調査平面図	樹木位置、樹木リスト、調査事項	1/200～1/600

5節　電気設備調査

3.5.1　適用範囲

この節は、電気設備の調査に適用する。

3.5.2　電気設備調査

(a)　敷地内及び周囲にある電気設備の調査は、位置、形状、寸法、容量等について行い、調査事項は次による。

(1)　配電線路（電柱の位置、高さ及び番号、相数並びに電圧種別、外灯の位置、高さ及び種類、電力引込み点、引込み方法）

(2)　通信線路（電柱の位置、高さ及び番号並びに対数、電話引込み点、引込み方法）

(3)　地中線の敷設工法、深さ、管径、管材質、経路及び管路の状態

(4)　マンホール及びハンドホールの位置、形状、寸法

(5)　屋外形受変電設備（種類、位置、配置、寸法、容量、概算重量）

(b)　敷地内の接地抵抗及び大地比抵抗率の測定は次により、適用は特記による。

(1)　測定方法は、表3.5.1により、測定種別は特記による。

(2)　測定箇所は、地表面で建築面積50m × 50mにつき1箇所以上とする。

表3.5.1　測定方法

測定種別	測定方法
接地抵抗	直径14mm、長さ1,500mmの接地棒を打ち込み、JIS C 1304（接地抵抗計）に規定するものを用いて行う。
大地比抵抗率	大地比抵抗率測定器（ウェンナーの4電極法によるもの）を用いて行う。

(c)　テレビ電波の状況等の調査は次により、適用は特記による。

(1)　放送局及び中継局のチャンネル並びに電波到来方向

(2)　敷地周辺の住宅整備状況

(3)　テレビ電波障害に関する条例及び地方公共団体等の指導事項

(d)　電気設備調査図の内容は、表3.5.2による。

表3.5.2　電気設備調査図の内容

図面名称	記載事項	縮　尺
調査平面図	配電線路、通信線路、地中線等（位置、経路、高さ、深さ、材質等を記入）、接地抵抗又は大地比抵抗率の測定箇所、テレビ電波到来方向	1/200 ～ 1/600
詳　細　図	電気設備の詳細（寸法記入）	1/20 ～ 1/50

6節　機械設備調査

3.6.1　適用範囲

この節は、機械設備の調査に適用する。

3.6.2　機械設備調査

(a) 機械設備調査は、敷地内及び敷地隣接の道路（公道）にある配水管、ガス管の種類、管路、管径、管材質、深さ、栓弁類の有無について行う。

(b) 敷地隣接の道路（公道）に配水管が敷設されていない場合は、付近の井戸の有無、深さ、水質、水量、地層、水脈、地方公共団体等の条例、指導等を調査する。

(c) 機械設備調査図の内容は、表3.6.1による。

表3.6.1　機械設備調査図の内容

図面名称	記載事項	縮　尺
調査平面図	管路、栓類の位置（管の種類、材質、径、深さ等を記入）	1/200～1/600
詳　細　図	栓弁類の詳細（寸法記入）	1/20～1/50

7節　敷地の履歴調査

3.7.1　適用範囲

この節は、敷地の履歴調査に適用する。

3.7.2　敷地の履歴調査

(a) 調査は、過去の土地の利用状況並びに施設の名称、用途及び所有者等について行う。

(b) 調査は、3.1.2によるほか、公的機関が一般に公開又は提供している資料等により行う。

4章　地盤調査

1節　一般事項

4.1.1　適用範囲及び種別

(a) この章は、地盤調査並びに室内土質試験等の調査に適用する。

(b) 地盤調査、土質試験及びその他試験の種別は次により、適用は特記による。

(1) 地盤調査

(i) ボーリング

(ii) サンプリング

(iii) サウンディング

(iv) 地下水調査

(v) 物理探査・検層

(vi) 載荷試験

(2) 土質試験

(i) 物理試験

(ii) 変形・強度試験

(iii) 圧密試験

(iv) 安定化試験

(3) その他試験

(i) 地盤改良関連の試験

(ii) 建設発生土関連の試験

4.1.2 担当技術者

地盤調査に係る十分な能力を有する者とする。

4.1.3 基準点

調査位置の地盤高を測量するための基準点は、特記による。特記がなければ、2.3.4によるベンチマークとする。

4.1.4 成果品その他

(a) 調査結果は、報告書等に取りまとめ、成果品として提出する。

(b) 成果品の内容は、4.15.2及び4.15.3による。

(c) ボーリング柱状図及び土質試験結果一覧表は、「地質・土質調査成果電子納品要領」(平成28年10月国土交通省) により作成し、電子データを提出する。

(d) 前項に加え、ボーリング柱状図及び推定地層断面図は、CADデータを提出する。

4.1.5 地盤情報データベースの登録

(a) 地盤調査で得られたボーリング柱状図及び土質試験結果一覧表の、発注者が指定する地盤情報データベースへの登録は、特記する。特記がなければ、登録する。

(b) 発注者が指定する地盤情報データベースに登録する場合は、別途定める検定に関する技術を有する第三者機関による検定を受けた上で、登録の手続きを行うとともに、検定済みデータ及び検定証明書を電子データで提出する。

2節 ボーリング

4.2.1 適用範囲

この節は、ボーリングに適用する。

4.2.2 ボーリングの方法

(a) ボーリングの種類は表4.2.1により、適用は特記による。特記がなければ、ロータリー式ボーリングとする。

表4.2.1 ボーリングの種類

分類名称	掘進機器
ロータリー式ボーリング	ハンドフィード式又はハイドロリックフィード式のスピンドル型ボーリングマシン
試掘	人力による掘削又はバックホウ

(b) ロータリー式ボーリングは、次による。

(1) ロータリー式ボーリングの種類は特記がなければ、ノンコアボーリングとする。

(2) 孔内に地下水が認められるまでは、原則として水、ベントナイト安定液等を使用しない。また、掘削中孔内に地下水が認められたときは、その深さを記録する。

(3) 孔壁が崩落するおそれがある場合は、ケーシングチューブ、ベントナイト安定液等により、適切な孔壁保護を行う。ただし、乱れの少ない試料の採取、標準貫入試験、又は孔内載荷試験を行う場合は、ケーシングチューブの下端を採取位置若しくは試験位置より1m以上、上で止める。

(4) 毎日の作業開始前に、孔内水位及びそのときの掘削深さを記録する。

(5) 掘削孔の埋戻しは、特記による。特記がなければ、調査終了後セメントミルク等で埋め戻す。

(c) 試掘は、次による。

(1) 湧水、孔壁の崩壊等の支障のある場合は、適切な養生を行い、地層の変化を観察できるように所定の深さまで掘り、監督職員の検査を受ける。

(2) 試掘孔が深く、有毒ガスの発生及び酸素欠乏のおそれがある場合は、事前に十分な調査を行い、安全を確認しながら作業を行う。

4.2.3 掘削位置、深さ及び孔径

(a) 掘削位置及び深さは、特記による。

(b) ロータリー式ボーリングの孔径は、66mm以上とし、ボーリング孔を利用した調査及び試験を行う場合は、特記による。

(c) 試掘の寸法及び形状は、特記による。

(d) 所定の深さで予想する地層及び土質が出ない場合、又は掘削が著しく困難な場合は、監督職員と協議する。

3節　サンプリング

4.3.1　適用範囲

この節は、サンプリングに適用する。

4.3.2　採取試料の品質

採取試料の品質は次により、適用は特記による。

(1)　乱れの少ない試料

(2)　乱れた試料

4.3.3　サンプリング位置及び深さ

サンプリング位置及び深さは、特記による。

4.3.4　掘削方法及び孔径

掘削方法は、4.2.2により、掘削孔径は次による。

(1)　固定ピストン式シンウォールサンプラーを使用する場合は、サンプリング位置まで86mm（エキステンションロッド式サンプラーの場合）又は116mm以上（水圧式サンプラーの場合）とする。

(2)　ロータリー式二重管サンプラー及びロータリー式三重管サンプラーを使用する場合は、サンプリング位置まで116mm以上とする。

4.3.5　サンプリングの方法

(a)　乱れの少ない試料の採取

(1)　試料の採取は、原則として監督職員の立会いを受けて行う。

(2)　粘土、シルト及びこれらに準ずる地層の乱れの少ない試料の採取は、ブロックサンプリングの場合を除き、次による。

(i)　試料の採取に使用するサンプラーは次により、適用は特記による。特記がなければ、固定ピストン式シンウォールサンプラーとする。

①　固定ピストン式シンウォールサンプラー

②　ロータリー式二重管サンプラー

③　ロータリー式三重管サンプラー

(ii)　固定ピストン式シンウォールサンプラーの種類は、エキステンションロッド式サンプラー又は水圧式サンプラーとし、適用は特記による。特記がなければ、エキステンションロッド式サンプラーとする。採取方法は、(公社)地盤工学会基準「固定ピストン式シンウォールサンプラーによる土試料の採取方法（JGS 1221)」による。

(iii)　ロータリー式二重管サンプラーによる採取方法は、(公社)地盤工学会基準「ロータリー式二重管サンプラーによる土試料の採取方法（JGS 1222)」による。

(iv)　ロータリー式三重管サンプラーによる採取方法は、(公社)地盤工学会基準「ロータリー式三重管サンプラーによる土試料の採取方法（JGS 1223）」による。

(3) 砂及び砂質土の乱れの少ない試料の採取は、次による。

(i) 試料の採取に使用するサンプラーは、特記による。特記がなければ、採取対象の土質に応じて、固定ピストン式シンウォールサンプラー又はロータリー式三重管サンプラー等の適切なサンプラーを用いる。

(ii) 固定ピストン式シンウォールサンプラー又はロータリー式三重管サンプラーを用いた場合の採取方法は、(2)による。

(4) ブロックサンプリングの試料の採取は、次による。

(i) ブロックサンプリングの種類は次により、適用は特記による。

① 切出し式ブロックサンプリング

② 押切り式ブロックサンプリング

(ii) 採取方法は、（公社）地盤工学会基準「ブロックサンプリングによる土試料の採取方法（JGS 1231）」による。

(b) 乱れた試料の採取

(1) 試料の採取は、オープンドライブサンプラーにより行う。ただし、標準貫入試験を行う場合は、原則としてそれにより得られる試料とする。

(2) 試料の運搬は、含水量の変わらないように密封し、速やかに行う。

4節　サウンディング

4.4.1　適用範囲

この節は、サウンディングに適用する。

4.4.2　サウンディングの種別

サウンディングの種別は次により、適用は特記による。特記がなければ、標準貫入試験とする。

(1) 標準貫入試験

(2) スクリューウエイト貫入試験

(3) 機械式コーン貫入試験

4.4.3　試験位置及び深さ

試験位置及び深さは、特記による。

4.4.4　試験

(a) 標準貫入試験は、JIS A 1219（標準貫入試験方法）によるほか、次による。

(1) 測定間隔は、特記による。特記がなければ、地盤面より1mの深さから1m間隔とする。ただし、乱れの少ない試料の採取又は孔内載荷試験を行う場合は、その位置及びその上方1mは除く。

(2) 本打ちにおいて1回の貫入量が2cm以上となる場合は、約5cmの後打ちを省略してはならない。

(3) 本打ちの打撃回数は、60回を限度とする。

(4) 15cmの予備打ちが困難な場合は、監督職員の承諾を受けて、打撃回数60回程度をもって本打ちとすることができる。

(5) 採取した試料は、色、におい、粒度、硬さ、締まり具合、湿潤状態、混入物等の土質概要、採取深さ、試料の長さ等を記録し、試料の色彩が分かるような写真を撮影する。また、地層及び土質を確認できる代表的な土を標本として整理する。標本の整理は、4.15.3による。

(b) スクリューウエイト貫入試験は、JIS A 1221（スクリューウエイト貫入試験）による。

(c) 機械式コーン貫入試験は、JIS A 1220（機械式コーン貫入試験方法）による。

5節　地下水調査

4.5.1　適用範囲

この節は、地下水調査に適用する。

4.5.2　地下水調査の種別

地下水調査の適用及び種別は、特記による。特記がなければ、現場透水試験とする。

4.5.3　試験位置及び深さ

試験を行う位置及び深さは、特記による。

4.5.4　掘削方法及び孔径

掘削方法は4.2.2により、掘削孔径は特記による。特記がなければ、86mm以上とする。

4.5.5　試験

現場透水試験は、(公社)地盤工学会基準「単孔を利用した透水試験方法（JGS 1314)」によるほか、次による。

(1) 試験の種類は次により、適用は特記による。特記がなければ、非定常法による試験とする。

(i) 非定常法による試験

(ii) 定常法による試験

(2) 非定常法による試験の方法は、単一のボーリング孔による回復法又は注水法とし、適用は特記による。特記がなければ、回復法とする。

6節　物理探査・検層

4.6.1　適用範囲

この節は、物理探査・検層に適用する。

4.6.2　物理探査・検層の種別

物理探査・検層の種別は次により、適用は特記による。

(1)　弾性波速度検層（PS検層）

(2)　常時微動測定

4.6.3　検層及び測定位置及び深さ

検層及び測定を行う位置及び深さは、特記による。

4.6.4　弾性波速度検層

弾性波速度検層は、(公社)地盤工学会基準「地盤の弾性波速度検層方法（JGS 1122)」によるほか、次による。

(1)　掘削方法は4.2.2、掘削孔径は表4.6.1による。

(2)　検層方法の種類は表4.6.1により、適用は特記による。特記がなければ、ダウンホール方式とする。

表4.6.1　検層方法の種類及び掘削孔径

種　類	起振位置	受振位置	掘削孔径	備　考
ダウンホール方式	地表	孔内	86mm以上	地表部に起振装置の設置場所が必要。 測定深さによっては、起振装置が大型化。
孔内起振受振方式	孔内	孔内	66mm以上	孔内水がない場合には適用できない。 測定深さに対して十分な余掘りが必要。

4.6.5　常時微動測定

(a)　常時微動測定の測定装置は、次による。

(1)　測定装置は、感振器、増幅器及び記録器からなり、使用する機器の性能並びに装置全体の特性が測定に適したものとする。

(2)　測定装置の周波数の特性は、1～20Hzの範囲内で平坦な特性を有するものとする。ただし、高層建築物、免震構造等の場合の周波数特性は、特記による。

(3)　感振器は、上下動成分、直交する水平動2成分の測定ができるものとする。

(b)　常時微動測定の測定方法は、次による。

(1)　地表及び地中での測定では、上下、水平2成分の測定を標準とする。

(2)　掘削方法は4.2.2により、掘削孔径は特記による。特記がなければ、86mm以上とし、孔内にスライムが残らないよう、十分に洗浄する。

(3) 地中の水平動の測定を行う場合は、地表の水平動の1成分と同一方向について、同時測定を行う。

なお、地中で2箇所以上同時に測定を行う場合は、特記による。

(4) 測定装置からの出力波形は、波形モニターを用いてチェックを行い、良好な記録を得るようにする。

(5) 測定は、付近の交通機関等の振動及び近隣建築物の影響を避けて行う。

(6) 常時微動測定の記録長は、連続した1分以上の、直接的ノイズの影響のない安定したものとする。

(7) 各スペクトル解析時間は、30秒以上とし、サンプリングの間隔は0.02秒以下、かつ、想定される卓越周期の1/5以下とする。

(c) 常時微動測定の解析方法は、次による。

(1) 解析に使用した測定記録の一部を図化する。

(2) スペクトル解析でフーリエスペクトル又はパワースペクトルを求め、得られたスペクトルから、測点間のスペクトル比、H/Vスペクトル及び地盤卓越周期を求める。スペクトル解析手法は、特記による。

7節　載荷試験

4.7.1　適用範囲

この節は、載荷試験に適用する。

4.7.2　適用範囲

載荷試験の適用及び種別は、特記による。

4.7.3　平板載荷試験

(a) 試験位置及び深さは、次による。

(1) 試験を行う位置及び深さは、特記による。ただし、試験に先立ち、監督職員の承諾を受けるものとする。

(2) 所定の深さで予想する試験地盤面に達しない場合又は湧水が甚だしい場合は、監督職員と協議する。

(3) 水中に載荷板を設置して試験を行う場合は、特記による。

(b) 平板載荷試験は、(公社)地盤工学会基準「平板載荷試験方法(JGS 1521)」によるほか、次による。

(1) 試験最大荷重(載荷荷重の最大値)は、特記による。

(2) 反力装置は、実荷重又はアンカーを用いることとし、適用は特記による。特記がなければ、実荷重とする。

(3) 試験は、原則として、監督職員の立会いを受けて行う。

⑷　載荷方法は、荷重制御による段階式載荷又は段階式繰返し載荷とし、適用は特記による。特記がなければ、段階式載荷とする。

⑸　載荷は、次の状態に達したとき、監督職員の承諾を受けて終了する。

(i)　荷重強さ－沈下量曲線が破壊状態を示したとき

(ii)　計画最大荷重に達したとき

4.7.4　孔内載荷試験

孔内載荷試験は、(公社)地盤工学会基準「地盤の指標値を求めるためのプレッシャーメータ試験方法（JGS 1531)」、「ボアホールジャッキ試験方法（JGS 3532)」によるほか、次による。

⑴　孔内載荷試験の種類は表4.7.1により、適用は特記による。特記がなければ、プレッシャーメータ試験（等分布荷重方式　1室型）又はプレッシャーメータ試験（等分布荷重方式　3室型）とする。

⑵　掘削方法は4.2.2により、掘削孔径は特記による。

表4.7.1　孔内載荷試験の種類等

種　類	載荷方式
プレッシャーメータ試験	等分布荷重方式　1室型
	等分布荷重方式　3室型
ボアホールジャッキ試験	等分布変位方式

⑶　加圧時の荷重増分は、予想最大加圧の1/10以下とし、20kN/m^{2}程度とする。

8節　物理試験

4.8.1　適用範囲

この節は、物理試験に適用する。

4.8.2　試験の種別

物理試験の種別は表4.8.1により、適用は特記による。

表4.8.1　物理試験の種別

区分	試験名称	試験方法等
物理試験	土粒子密度	JIS A 1202（土粒子の密度試験方法）
	含水比	JIS A 1203（土の含水比試験方法）
	粒度	JIS A 1204（土の粒度試験方法）
	液性限界・塑性限界	JIS A 1205（土の液性限界・塑性限界試験方法）
	細粒分含有率	JIS A 1223（土の細粒分含有率試験方法）
	湿潤密度	JIS A 1225（土の湿潤密度試験方法）

9節　変形・強度試験

4.9.1　適用範囲

この節は、変形・強度試験に適用する。

4.9.2　試験の種別

(a)　変形・強度試験の種別は表 4.9.1 により、適用は特記による。

表 4.9.1　変形・強度試験の種別

区分	試験名称	試験方法等	備　考
変形・強度試験	一軸圧縮	JIS A 1216 (土の一軸圧縮試験方法)	1採取箇所につき3個以上の供試体について行う。
	一面せん断	4.9.2(b)による	1採取箇所につき3個以上の供試体について行う。
	三軸圧縮	4.9.2(c)による	
	繰返し三軸	4.9.2(d)による	
	ねじりせん断	4.9.2(e)による	

(b)　一面せん断試験

(1)　一面せん断試験の種類は次により、適用は特記による。特記がなければ、圧密定体積一面せん断試験とする。

(i)　圧密定体積一面せん断試験

(ii)　圧密定圧一面せん断試験

(2)　圧密定体積一面せん断試験は、(公社)地盤工学会基準「土の圧密定体積一面せん断試験方法（JGS 0560)」による。

(3)　圧密定圧一面せん断試験は、(公社)地盤工学会基準「土の圧密定圧一面せん断試験方法(JGS 0561)」による。

(c)　三軸圧縮試験

(1)　三軸圧縮試験の種類は、次により、適用は特記による。特記がなければ、非圧密非排水(UU) 三軸圧縮試験とする。

(i)　非圧密非排水（UU）三軸圧縮試験

(ii)　圧密非排水（CU）三軸圧縮試験

(iii)　圧密排水（CD）三軸圧縮試験

(iv)　圧密非排水（$\overline{\mathrm{CU}}$）三軸圧縮試験（間隙水圧を測定する）

(2)　非圧密非排水（UU）三軸圧縮試験は、(公社)地盤工学会基準「土の非圧密非排水（UU）三軸圧縮試験方法（JGS 0521)」による。

(3)　圧密非排水（CU）三軸圧縮試験は、(公社)地盤工学会基準「土の圧密非排水（CU）三軸圧縮試験方法（JGS 0522)」による。

(4) 圧密排水（CD）三軸圧縮試験は、(公社)地盤工学会基準「土の圧密排水（CD）三軸圧縮試験方法（JGS 0524)」による。

(5) 圧密非排水（$\overline{\mathrm{CU}}$）三軸圧縮試験は、(公社)地盤工学会基準「土の圧密非排水（$\overline{\mathrm{CU}}$）三軸圧縮試験方法（JGS 0523)」による。

(d) 繰返し三軸試験

(1) 繰返し三軸試験の種類は次により、適用は特記による。

(i) 液状化強度特性試験

(ii) 動的変形特性試験

(2) 液状化強度特性試験は、(公社)地盤工学会基準「土の繰返し非排水三軸試験方法（JGS 0541)」による。

(3) 動的変形特性試験は、(公社)地盤工学会基準「地盤材料の変形特性を求めるための繰返し三軸試験方法（JGS 0542)」による。

(e) ねじりせん断試験

ねじりせん断試験は、(公社)地盤工学会基準「土の変形特性を求めるための中空円筒供試体による繰返しねじりせん断試験方法（JGS 0543)」による。

10節　圧密試験

4.10.1　適用範囲

この節は、圧密試験に適用する。

4.10.2　試験の種別

圧密試験の種別は表4.10.1により、適用は特記による。特記がなければ、段階載荷圧密試験とする。

表4.10.1　圧密試験の種別

区分	試験名称	試験方法等
圧密試験	段階載荷圧密	JIS A 1217（土の段階載荷による圧密試験方法）
	定ひずみ速度載荷圧密	JIS A 1227（土の定ひずみ速度載荷による圧密試験方法）

11節　安定化試験

4.11.1　適用範囲

この節は、安定化試験に適用する。

4.11.2　試験の種別

(a)　安定化試験の種別は表 4.11.1 により、適用は特記による。

表 4.11.1　安定化試験の種別

区　分	試験名称	試験方法等	備　考
安定化試験	CBR	4.11.2(b)による	1 採取箇所につき 3 個以上の供試体について行う。

(b)　試験の方法は、JIS A 1211（CBR 試験方法）によるほか、次による。

(1)　試料の採取を行う位置及び深さは、特記による。ただし、試料の採取深さは、特記がなければ次による。

(i)　切土の場合は、路床面より 50cm 以上深い位置とする。

(ii)　盛土の場合は、土取場の露出面より 50cm 以上深い位置とする。

(2)　試験の種類は次により、適用は特記による。

(i)　締め固めた土の CBR 試験

(ii)　乱さない土の CBR 試験

(3)　設計 CBR 又は修正 CBR を求める場合の試験の適用は、特記による。

12 節　地盤改良関連の試験

4.12.1　地盤改良関連の試験

(a)　浅層混合処理工法、深層混合処理工法等による地盤改良に伴う土質試験等は、特記による。

(b)　試験種別、試験方法及び報告事項は、特記による。

13 節　建設発生土関連の試験

4.13.1　建設発生土関連の試験

(a)　建設発生土の有効利用に伴う土質試験等は、特記による。

(b)　試験種別、試験方法及び報告事項は、特記による。

14 節　総合考察

4.14.1　適用範囲

この節は、総合考察に適用する。

4.14.2　総合考察

総合考察は、次の事項について行う。ただし、地震応答解析、変形解析等の解析業務その他高度な検討業務を行う場合は、特記による。

(1)　調査地周辺の地形・地質の検討

(2)　各調査結果に基づく土質定数の設定

(3)　各調査結果に基づく地盤の工学的性質の検討

(4)　調査結果に基づく基礎形式の検討（具体的な計算を行うものではなく、基礎形式の適用に関する一般的な比較検討を行う）

(5)　設計・施工上の留意点に関する一般的検討

15節　報告書その他

4.15.1　適用範囲

この節は、報告書等の成果品に適用する。

4.15.2　報告書

報告書には、次の事項を記載する。

(1)　調査項目及び調査方法

(2)　付近の地形及び地盤概要

(3)　敷地の状況、調査位置、基準点と調査位置の地盤高さの高低関係（図示）

(4)　ボーリング柱状図

(i)　各地層の標高、深さ及び層厚

(ii)　土質記号、土質名、相対密度及びコンシステンシー、色、におい、細粒土の割合、その他の観察記録

(iii)　サウンディングの結果（標準貫入試験のN値）

(iv)　土質試験用資料の採取深さ（サンプリングを行った場合のみ）

(v)　孔内水位及びその変動

(vi)　試掘孔内の写真

(5)　推定地層断面図（ボーリング又はサウンディングが1箇所で、地層の推定が困難な場合は除く）

(6)　土質試験結果一覧表

(7)　サウンディングの結果

(i)　調査位置の地盤高さ、調査日の天候及び地下水位

(ii)　標準貫入試験の場合は、(i)のほか、次による。

①　本打ち開始深さ及び本打ち終了深さ

②　打撃回数と累計貫入量との関係を示す図から読みとった本打ち30cmに対する打撃回数に近い整数値（N値）

なお、本打ち30cm未満で打撃回数が50回を超えた場合は、N値はJIS A 1219同様「50以上」とし、分子に打撃回数（60回を限度とする）、分母に累計貫入量の分数の形で記録する。

③　採取試料の観察結果

(iii)　スクリューウエイト貫入試験の場合は、(i)のほか、次による。

①　試験結果

ア　貫入長に対する静的貫入最小荷重（Wsw）

イ　貫入長に対する測定半回転数（Na）

ウ　貫入長に対する換算半回転数（Nsw）

エ　貫入状況及び貫入音

オ　測定終了事由及び終了貫入長

②　試験結果を図示化したもの

ア　横軸に静的貫入最小荷重（Wsw）、縦軸に貫入長をとった図

イ　横軸に換算半回転数（Nsw）、縦軸に貫入長をとった図

③　推定柱状図

(iv)　機械式コーン貫入試験の場合は、(i)のほか、次による。

①　深さ及びコーン貫入抵抗測定値（Qrd）

②　貫入中に土の硬軟、土質変化があったと思われるとき又は内管若しくは内外管が自重で沈下するときの状況

③　深さと土の静的貫入抵抗（qc）との関係を示す図

(8)　地下水調査の結果

(i)　現場透水試験の結果

①　試験方法の種別

②　測定記録

③　試験結果一覧表

(9)　物理探査・検層

(i)　弾性波速度検層（PS検層）の結果

①　測定装置の概要、測定方法及び測定系統図

②　測定記録

③　検層結果一覧表

(ii)　常時微動測定の結果

①　試験位置及び深さ

②　測定装置の概要、測定方法及び測定系統図

③　地盤卓越周期

④　測定記録の一部

⑤　パワースペクトル又はフーリエスペクトル

⑥　試験の状況を示す写真及び気象記録

⑽　載荷試験の結果
（i）平板載荷試験の結果
①　試験孔の位置及び大きさ
②　試験装置の概要
③　載荷方法の種別
④　測定記録
⑤　試験結果の一覧
（ii）孔内載荷試験の結果
①　測定装置の概要及び測定系統図
②　測定記録
③　試験結果一覧表
⑾　物理試験の結果
（i）測定記録
（ii）試験結果一覧表
⑿　変形・強度試験の結果
（i）測定記録
（ii）試験結果一覧表
⒀　圧密試験の結果
（i）測定記録
（ii）試験結果一覧表
⒁　安定化試験の結果
（i）CBR試験の結果
①　締め固めた土のCBR試験
ア　試料の準備方法
イ　供試体の含水比及び乾燥密度
ウ　膨張比
エ　貫入試験後の含水比
オ　CBR及びそれに対応する貫入量
②　乱さない土のCBR試験
ア　供試体の含水比及び乾燥密度
イ　膨張比
ウ　貫入試験後の含水比
エ　CBR及びそれに対応する貫入量
⒂　総合考察
4.14.2による検討結果

4.15.3　土質標本等

土質標本は、容器に密封し、調査孔ごとにふた付箱に入れて1組提出する。容器は、原則として直径4.5cm程度、高さ9cm程度のプラスチック製とする。

参考資料

この参考資料は、「敷地調査共通仕様書（令和４年改定)」を適用する敷地調査業務の円滑な実施に資するため、(一社)公共建築協会が敷地調査特記仕様書の作成例、関係法令や基準、事前調査、地盤調査や土質試験等に関する資料や情報等を整理してまとめたものです。

目　次

参考資料1

敷地調査特記仕様書（作成例）

敷地調査特記仕様書（作成例）

この作成例は、(一社)公共建築協会が「敷地調査共通仕様書（令和４年改定)」に基づき、特記すべき事項を網羅的に抽出し、章立てに沿って整理したものです。

本共通仕様書に示された「特記がない場合等」についても、※印による適用として掲載しています。また、　　　部分に、作成のポイント、調査や試験等の検討に当たって参考となる情報を記載しています。

本作成例は、必要な事項を記入して実際の敷地調査の特記仕様書としても使えますが、個々の調査単位で必要な事項に絞った特記仕様書として、あるいは、事前調査段階で特記すべき内容の過不足のチェックなどにも活用することができます。

令和　　年　　月（全　　枚）

______________________ **敷 地 調 査**

（ 敷 地 測 量
建築物その他調査
地 盤 調 査 ）

調査名称は、調査の種目により使い分ける。

Ⅰ. 調 査 概 要

1. 調 査 場 所
2. 調 査 種 目

敷地測量	一式
建築物その他調査	一式
地盤調査	一式

Ⅱ. 調 査 仕 様

1. 標準仕様

図面及び特記仕様書に記載されていない事項は、国土交通省大臣官房官庁営繕部制定の「敷地調査共通仕様書（令和４年改定）」（以下「敷地共仕」という。）による。

2. 特記仕様書の表記

⑴ 項目は、番号に◯印の付いたものを適用する。

⑵ 特記事項は、⊙印の付いたものを適用する。

⊙印の付かない場合は、※印の付いたものを適用する。

⊙印と㊟印の付いた場合は、共に適用する。

⑶ 特記事項に記載の（　．　．　）内表示番号は、敷地共仕の当該項目、当該図又は当該表を示す。

章	項　目	特記事項
1．一般共通事項	1　業務実績情報の登録	※行う　　・行わない　(1.1.4) 登録制度として、(一財)日本建設情報総合センターが運営する業務実績情報データベース（テクリス）がある。
	2　適用基準	適用される図書　(1.1.6) ※国土交通省大臣官房官庁営繕部「建築工事設計図書作成基準」 ※「公共測量作業規定の準則　付録7（公共測量標準図式)」 ※国土交通省大臣官房官庁営繕部「建築設計業務等電子納品要領」 ※国土交通省大臣官房官庁営繕部「官庁営繕事業に係る電子納品運用ガイドライン【営繕業務編】」 ※「地質・土質調査成果電子納品要領」(平成28年10月 国土交通省) ・ 敷地共仕において適用する基準に加えて、その他、適用する基準がある場合は適宜追記する。
	3　主任技術者	主任技術者の資格又は能力　(1.3.2) ・ 資格又は能力の例として次の者が考えられる。 ①　主たる部分が地盤調査の場合 ・技術士の部門と選択科目 総合技術監理部門（「建設－土質及び基礎」又は「応用理学－地質」)、建設部門（「土質及び基礎」)、応用理学部門（「地質」）のいずれかの部門の資格を有する者 ・国土交通省登録資格の保有者（公共工事に関する調査及び設計等の品質確保に資する技術者資格（施設分野：地質・土質））　など ②　主たる部分が敷地測量の場合 ・測量士の資格を有する者　など
	4　現場作業条件	敷地共仕 1.3.4 (a)以外の作業条件　(1.3.4) ※現場説明書による ・ 作業時間、駐車場の利用、水道・電気の利用、舗装の撤去・復旧など、作業条件に関わる事項を特記する。
	5　成果品	提出部数　敷地測量及び建築物その他調査報告書　(　　部)　(1.5.1) 地盤調査報告書　(　　部) 電子媒体　(　　部) 記録写真及び現状写真　・提出する　・提出しない 報告書の体裁、記録写真の撮影箇所数を必要に応じて特記する。 電子成果品の電子納品チェックシステムによるチェック、ウイルス対策の実施のほか、電子成果品の部数は設計や工事、維持管理に使用すること等を考慮して記載する。

章	項　目	特記事項

2. 敷地測量

1　一般事項

野帳の提出　・提出する　・提出しない　(2.1.6)

2　平面測量

範囲　※図示　・　(2.1.1)

成果品は下記表による　(表 2.1.1)

名　称	縮　尺	用紙のサイズ
・平面図	・	※ A1 版程度　・
・求積図	・	※ A1 版程度　・
・測量計算書	—	—

その他の場合の測量の方法　(2.2.2)
・

真北の測量　・実施する　・実施しない　(2.2.4)
　測定の方法
　　※既設の基準点及び敷地境界等の座標値により計算で求める方法
　　・日影観測による方法
　　・太陽観測による方法

3　水準測量

範囲　※図示　・　(2.1.1)

成果品は下記表による　(表 2.1.1)(表 2.3.4)

名　称	縮　尺	用紙のサイズ
・高低図	・	※ A1 版程度　・
・縦断面図及び横断面図	高低差方向 ※ 1/50　・ 水平方向 ※ 1/200　・	※ A1 版程度　・

方眼線の方向　※監督員の指示による　・図示　(2.3.2)

方眼線の間隔 (m)　※敷地共仕表 2.3.1 による　・　(2.3.2)

ベンチマークの高さの基準　(2.3.4)
　※東京湾平均海面 (T.P.)　・
ベンチマークの設置方法　(2.3.4)
　※敷地共仕 2.3.4 (b)による　・

等高線の記入　・記入する　・記入しない　(2.3.6)
　等高線の間隔 (mm)　※敷地共仕表 2.3.3 による　・

<table>
<tr><th>章</th><th>項　目</th><th>特記事項</th></tr>
<tr><td rowspan="7">3．建築物その他調査</td><td>1　一般事項</td><td>調査のための部分取り壊し、地盤掘削等の作業　(3.1.2)
・行う（範囲等は図示）　・行わない

担当技術者　※監督員が承諾した者　・　(3.1.3)

成果品の内容は下記表による　(表 3.1.1)
<table>
<tr><th>調査の種別</th><th>名　称</th><th>用紙のサイズ</th></tr>
<tr><td>・建築物調査</td><td>建築物調査図</td><td>※ A1 版程度　・</td></tr>
<tr><td>・排水調査</td><td>排水調査図</td><td>※ A1 版程度　・</td></tr>
<tr><td>・工作物及び立木調査</td><td>工作物及び立木調査図</td><td>※ A1 版程度　・</td></tr>
<tr><td>・電気設備調査</td><td>電気設備調査図</td><td>※ A1 版程度　・</td></tr>
<tr><td>・機械設備調査</td><td>機械設備調査図</td><td>※ A1 版程度　・</td></tr>
</table></td></tr>
<tr><td>2　建築物調査</td><td>調査の範囲　※図示　・　(3.1.1) (3.1.2) (3.2.2)

矩計図の個所　※図示　・　(3.2.2)</td></tr>
<tr><td>3　排水調査</td><td>調査の範囲　※図示　・　(3.1.1) (3.1.2) (3.3.2)</td></tr>
<tr><td>4　工作物及び立木調査</td><td>工作物調査の範囲　※図示　・　(3.1.1) (3.1.2) (3.4.2)

立木調査の範囲　※図示　・　(3.1.1) (3.1.2) (3.4.3)

立木調査の調査対象立木　※すべての立木　・　(3.4.3)</td></tr>
<tr><td>5　電気設備調査</td><td>調査の範囲　※図示　・　(3.1.1) (3.1.2)

敷地内の接地抵抗の測定　・行う　・行わない　(3.5.2)

敷地内の大地比抵抗率の測定　・行う　・行わない　(3.5.2)

テレビ電波の状況等の調査　・行う　・行わない　(3.5.2)

調査方法は、(一社)日本CATV技術協会の「建造物によるテレビ受信障害調査要領（平成 30 年 6 月改訂）」が参考になる。</td></tr>
<tr><td>6　機械設備調査</td><td>調査の範囲　※図示　・　(3.1.1) (3.1.2) (3.6.2)</td></tr>
<tr><td>7　敷地の履歴調査</td><td>調査の範囲　※図示　・　(3.1.1) (3.1.2) (3.7.2)

土地利用状況（公的機関が一般に公開又は提供している資料は、地形図・空中写真（参考資料 3 の 3-5 参照）、住宅地図のほか、登記簿等がある）により土壌汚染のおそれが確認された場合は、土壌汚染対策法に基づく特定有害物質の汚染状況に関する調査を検討する必要がある（参考資料 2 の 2-6 参照）。
また、津波や浸水被害等の事前調査は、ハザードマップ（参考資料 3 の 3-4 参照）等が参考になる。</td></tr>
</table>

<table>
<tr><th>章</th><th>項　目</th><th>特記事項</th></tr>
<tr><td rowspan="3">4.
地盤調査</td><td>1　一般事項</td><td>地盤高を測量するための基準点　(4.1.3)
※敷地共仕 2.3.4 によるベンチマーク　・

地盤情報データベースへの登録　※行う　・行わない　(4.1.5)

地盤調査の計画に当たっては、関係告示や通知（参考資料2の2-3、2-4参照）のほか、事前調査（参考資料3参照）に基づき、必要な調査項目（参考資料4参照）を設定する。また、地盤情報データベースの登録を行う場合の第三者機関による地盤情報の検定は参考資料2の2-8を参照されたい。</td></tr>
<tr><td>2　ボーリング</td><td>ボーリングの種類、深さ及び孔径等は下記表による　(表 4.2.1)（4.2.3)
<table>
<tr><th>ボーリング位置記号</th><th>ボーリングの種類</th><th>掘削深さ(m)</th><th>孔径又は試掘の寸法及び形状</th></tr>
<tr><td></td><td>※ RB　・試掘</td><td></td><td></td></tr>
<tr><td></td><td></td><td></td><td></td></tr>
<tr><td></td><td></td><td></td><td></td></tr>
<tr><td></td><td></td><td></td><td></td></tr>
<tr><td></td><td></td><td></td><td></td></tr>
</table>
種類凡例　RB：ロータリー式ボーリング

ロータリー式ボーリングの種類　※ノンコアボーリング　・　(4.2.2)

掘削孔の埋戻し　※セメントミルク等　・　(4.2.2)

掘削位置　※図示　・　(4.2.3)

ボーリングを2本以上行う場合で、乱れの少ない試料の採取がある場合には、乱れの少ない試料の採取を行わない孔を先行掘削し、試料の採取深さの参考とする。</td></tr>
<tr><td>3　サンプリング</td><td>採取試料の品質、サンプリング位置及び深さは別表1による
(4.3.2)（4.3.3)

乱れの少ない試料の採取　(4.3.5)
・粘土、シルト及びこれに準ずる場合の試料の採取に使用するサンプラー
※固定ピストン式シンウォールサンプラー
（※エキステンションロッド式サンプラー　・水圧式サンプラー）
・ロータリー式二重管サンプラー
・ロータリー式三重管サンプラー
・砂及び砂質土の場合の試料の採取に使用するサンプラー
※固定ピストン式シンウォールサンプラー又はロータリー式三重管サンプラー等適切なサンプラー
・
・ブロックサンプリングの試料の採取
・切出し式ブロックサンプリング
・押切り式ブロックサンプリング</td></tr>
</table>

章	項 目	特記事項
4．地盤調査	4 サウンディング	

種別、試験位置及び深さは下記表による　(4.4.2)(4.4.3)

種 別	試験位置	試験深さ(m)
※標準貫入試験	※RB位置に同じ ・	※RB掘削深さに同じ ・
・スクリューウエイト貫入試験	※図示 ・	
・機械式コーン貫入試験	※図示 ・	

標準貫入試験の測定間隔　(4.4.4)
　※地盤面より1mの深さから1m間隔　・

ロータリー式ボーリング中に、標準貫入試験のN値60以上の地層を連続して5m以上確認した場合、所定の深さに達してもN値60以上の地層を確認できない場合、又は着岩した場合には、監督職員と協議する。

支持層の厚さは、一般的には最低3m以上、できれば5m～10m以上必要である。工学的基盤相当の地層の厚さは5m以上有することを確認する必要がある。

章	項 目	特記事項
	5 地下水調査	

種別、試験位置及び深さは下記表による　(4.5.2)(4.5.3)

種 別	ボーリング位置記号	試験深さ(m)
※現場透水試験		
・		
・		

現場透水試験の種類　(4.5.5)
　※非定常法による試験(※回復法　・注水法)　・定常法による試験

章	項 目	特記事項
	6 物理探査・検層	

(1) 弾性波速度検層(PS検層)の種別、検層位置及び深さは下記表による　(4.6.3)(4.6.4)

種 別	ボーリング位置記号	深 さ(m)
※ダウンホール方式		
・構内起振受振方式		

PS検層中に所定の深さに達しても、Vs = 400(m /sec)以上の工学的基盤相当の地層が確認できない場合は、監督職員と協議する。

(2) 常時微動測定の測定位置、深さ及び測定方法は下記表による　(4.6.3)(4.6.5)

ボーリング位置記号	深 さ(m)	測定方法
		・地中同時測定を行う

<table>
<tr><th>章</th><th>項　目</th><th>特記事項</th></tr>
<tr><td rowspan="5">4・地盤調査</td><td>7　積載試験</td><td>(1)　平板載荷試験の試験位置及び深さは下表による　(4.7.2)（4.7.3)
<table>
<tr><th>番　号</th><th>位　置</th><th>深　さ（m)</th></tr>
<tr><td></td><td>・図示　・</td><td></td></tr>
<tr><td></td><td></td><td></td></tr>
</table>
試験最大荷重（載荷荷重の最大値）＿＿＿kN
反力装置　※実荷重　・アンカー
載荷方法　※段階式載荷　・段階式繰返し載荷

試験深さを踏まえて、必要に応じて試験孔のサイズを特記する。

(2)　孔内載荷試験の試験位置及び深さは下記表による　(4.7.2)（4.7.4)
<table>
<tr><th>番　号</th><th>ボーリング位置記号</th><th>深　さ（m)</th></tr>
<tr><td></td><td></td><td></td></tr>
<tr><td></td><td></td><td></td></tr>
</table>
試験の種類
※プレッシャーメータ試験（等分布荷重方式の1室型又は3室型）
・ボアホールジャッキ試験（等分布変位方式）</td></tr>
<tr><td>8　物理試験</td><td>物理試験の適用及び試料に応じた供試体の数は、別表1及び別表2による　(4.8.2)

細粒分含有率試験はボーリングの深さ方向に地層ごとに行うか例えば2mごとに行うことにより、土の分類、地盤構成を把握できる。</td></tr>
<tr><td>9　変形・強度試験</td><td>変形・強度試験の適用及び試料に応じた供試体の数は、別表1及び別表2による　(4.9.2)

透水性舗装における路床の透水係数は、土の透水試験方法（JIS A 1218）により確認する（国土交通省大臣官房官庁営繕部「構内舗装・排水設計基準の資料」参照)。</td></tr>
<tr><td>10　圧密試験</td><td>圧密試験の適用及び試料に応じた供試体の数は、別表1及び別表2による　(4.10.2)

試験の種別　※段階載荷圧密試験　・定ひずみ速度載荷圧密試験</td></tr>
<tr><td>11　安定化試験</td><td>試料の採取位置　※図示　・　(4.11.2)
試料の採取深さ　※敷地共仕4.11.2による　・
試験の種類　・締め固めた土のCBR試験
・乱さない土のCBR試験
設計CBRを求める試験　・行う
修正CBRを求める試験　・行う</td></tr>
</table>

<table>
<tr><th>章</th><th>項　目</th><th>特記事項</th></tr>
<tr><td rowspan="4">4.
地盤調査</td><td>12　地盤改良関連の試験</td><td>土質試験の種別　(4.12.1)
・一軸圧縮試験（4.9.2）　・CBR 試験（4.11.2）

試験の種別に対する試料採取の位置、深さ及び安定材等は別表3による
試験の種別に応じた試料の採集方法、供試体作成方法、供試体の数等は別表4による

供試体の六価クロム溶出試験
・JIS K 0102　65.2（65.2.7を除く。）に定める方法による</td></tr>
<tr><td>13　建設発生土関連の試験</td><td>試料の採取位置、深さ、対象土は下記表による　(4.13.1)
<table><tr><th>位　置</th><th>深　さ（m）</th><th>対象土</th></tr><tr><td></td><td></td><td></td></tr><tr><td></td><td></td><td></td></tr></table>
分析項目、基準及び測定方法
・平成3年8月23日環境庁告示第46号による
・

平成3年8月23日環境庁告示第46号（土壌汚染に係る環境基準）を参考資料2の2-5に掲載しているので参考にされたい。</td></tr>
<tr><td>14　総合考察</td><td>※敷地共仕 4.14.2 による
高度な検討業務　・行う

高度な検討業務を行う場合は、具体的に検討項目を特記する。</td></tr>
<tr><td>15　報告書その他</td><td>※敷地共仕 4.15.2 及び 4.15.3 による
・</td></tr>
</table>

別表１　採取試料の品質、サンプリング位置及び深さ

ボーリング位置記号	サンプリング番号	想定土質	想定採取深さ（m）	採取試料の品質	物理試験の種別				変形・強度試験の種別					圧　密
					土粒子密度、含水比、粒度	液性限界・塑性限界	細粒分含有率	湿潤密度	一軸圧縮	一面せん断	三軸圧縮	繰返し三軸	ねじりせん断	

想定土質、想定採取深さは、事前調査等で収集した地盤情報から想定して記入する。
採取資料の品質は、「乱れの少ない」又は「乱れた」を記入する。

別表2　各土質試験の試料に応じた供試体の数

名　称	適　用	単位	供試体の数	供試体の例
物理試験	土粒子密度	試料	・ ___個以上	3個
	含水比	試料	・ ___個以上	3個
	粒度	試料	・ ___個以上	1個
	液性限界	試料	・ ___個以上	4～6個
	塑性限界	試料	・ ___個以上	3個
	細粒分含有率	試料	・ ___個以上	1個
	湿潤密度	試料	・ ___個以上	3個
変形・強度試験	一軸圧縮	試料	※ 3個以上 ・ ___個以上	3個
	一面せん断	試料	※ 3個以上 ・ ___個以上	3個
	三軸圧縮	試料	・ ___個以上	3個
	繰返し三軸圧縮 （液状化強度特性）	試料	・ ___個以上	4個
	繰返し三軸圧縮 （動的変形特性）	試料	・ ___個以上	1個
	ねじりせん断	試料	・ ___個以上	1個
	圧密	試料	・ ___個以上	1個
	透水試験	試料	・ ___個以上	1個

供試体の数は、「地盤工学会基準」（(公社)地盤工学会)、「全国標準積算資料（土質調査・地質調査)」（(一社)全国地質調査業協会連合会）などを参考にして試験の種別・種類や条件等に応じて必要な数を特記する。

別表３　地盤改良関連の試験の種別に対する試料採取の位置、深さ、安定材の配合等

試験の種別	位　置	深　さ (m)	試験 対象土	安定材の種類	安定材の添加量（kg/m³）			安定材の添加状態

別表４　試験の種別に応じた試料の採集方法、供試体作成方法、供試体の数等

試験の種別	試料の採取方法	供試体作製方法	供試体の数 （1 配合につき）	養生期間
一軸圧縮試験	4.3.5(b)	地盤工学会基準 JGS 0821（安定処理土の締固めをしない供試体作製方法）に準ずる	※　3 供試体 ・　___供試体	・7 日間 ・28 日間
CBR 試験	4.11.2(b)(1)	地盤工学会基準 JGS 0811（安定処理土の突固めによる供試体作製方法）に準ずる	※　3 供試体 ・　___供試体	・7 日間 ・28 日間

供試体の数、養生期間は、「地盤工学会基準」((公社)地盤工学会)、「全国標準積算資料（土質調査・地質調査）」((一社)全国地質調査業協会連合会）などを参考にして試験の種別・種類や条件等に応じて必要な数や期間を特記する。

参考資料２

関係法令及び基準等

2－1　測量法及び同施行令

2－2　公共測量の作業方法に関する規程

2－3　地盤の許容応力度及び基礎ぐいの許容支持力の算定に係る地盤調査の方法

2－4　基礎ぐいの適正な設計

2－5　公害対策基本法に基づく土壌汚染環境基準

2－6　土壌汚染対策法に基づく特定有害物質の汚染状態に関する調査と基準

2－6－1　土壌汚染状況に関する調査

2－6－2　汚染状態に関する基準

2－6－2－1　要措置区域の指定に係る土壌溶出量基準及び土壌含有量基準等

2－6－2－2　土壌溶出量調査に係る測定方法を定める件

2－6－2－3　土壌含有量調査に係る測定方法を定める件

2－6－2－4　地下水に含まれる試料採取等対象物質の量の測定方法を定める件

2－7　地質・土質調査成果電子納品

2－8　地盤情報の検定

2-1 測量法及び同施行令

測量法（抜粋）

昭和二十四年　法律第百八十八号
最終改正　令和四年　　　法律第六十八号

第一章　総則

第一節　目的及び用語

（目的）

第一条　この法律は、国若しくは公共団体が費用の全部若しくは一部を負担し、若しくは補助して実施する土地の測量又はこれらの測量の結果を利用する土地の測量について、その実施の基準及び実施に必要な権能を定め、測量の重複を除き、並びに測量の正確さを確保するとともに、測量業を営む者の登録の実施、業務の規制等により、測量業の適正な運営とその健全な発達を図り、もつて各種測量の調整及び測量制度の改善発達に資することを目的とする。

（他の法律との関係）

第二条　土地の測量は、他の法律に特別の定がある場合を除いて、この法律の定めるところによる。

（測量）

第三条　この法律において「測量」とは、土地の測量をいい、地図の調製及び測量用写真の撮影を含むものとする。

（基本測量）

第四条　この法律において「基本測量」とは、すべての測量の基礎となる測量で、国土地理院の行うものをいう。

（公共測量）

第五条　この法律において「公共測量」とは、基本測量以外の測量で次に掲げるものをいい、建物に関する測量その他の局地的測量又は小縮尺図の調製その他の高度の精度を必要としない測量で政令で定めるものを除く。

一　その実施に要する費用の全部又は一部を国又は公共団体が負担し、又は補助して実施する測量

二　基本測量又は前号の測量の測量成果を使用して次に掲げる事業のために実施する測量で国土交通大臣が指定するもの

イ　行政庁の許可、認可その他の処分を受けて行われる事業

ロ　その実施に要する費用の全部又は一部について国又は公共団体の負担又は補助、貸付けその他の助成を受けて行われる事業

（基本測量及び公共測量以外の測量）

第六条　この法律において「基本測量及び公共測量以外の測量」とは、基本測量又は公共測量の測量成果を使用して実施する基本測量及び公共測量以外の測量（建物に関する測量その他の局

地的測量又は小縮尺図の調製その他の高度の精度を必要としない測量で政令で定めるものを除く。）をいう。

第七条～第十条　（略）

第二節　測量の基準

（測量の基準）

第十一条　基本測量及び公共測量は、次に掲げる測量の基準に従って行わなければならない。

一　位置は、地理学的経緯度及び平均海面からの高さで表示する。ただし、場合により、直角座標及び平均海面からの高さ、極座標及び平均海面からの高さ又は地心直交座標で表示することができる。

二　距離及び面積は、第三項に規定する回転楕円体の表面上の値で表示する。

三　測量の原点は、日本経緯度原点及び日本水準原点とする。ただし、離島の測量その他特別の事情がある場合において、国土地理院の長の承認を得たときは、この限りでない。

四　前号の日本経緯度原点及び日本水準原点の地点及び原点数値は、政令で定める。

2　前項第一号の地理学的経緯度は、世界測地系に従つて測定しなければならない。

3　前項の「世界測地系」とは、地球を次に掲げる要件を満たす扁平な回転楕円体であると想定して行う地理学的経緯度の測定に関する測量の基準をいう。

一　その長半径及び扁平率が、地理学的経緯度の測定に関する国際的な決定に基づき政令で定める値であるものであること。

二　その中心が、地球の重心と一致するものであること。

三　その短軸が、地球の自転軸と一致するものであること。

第十二条～第四十七条（略）

第五章　測量士及び測量士補

（測量士及び測量士補）

第四十八条　技術者として基本測量又は公共測量に従事する者は、第四十九条の規定に従い登録された測量士又は測量士補でなければならない。

2　測量士は、測量に関する計画を作製し、又は実施する。

3　測量士補は、測量士の作製した計画に従い測量に従事する。

（測量士及び測量士補の登録）

第四十九条　次条又は第五十一条の規定により測量士又は測量士補となる資格を有する者は、測量士又は測量士補になろうとする場合においては、国土地理院の長に対してその資格を証する書類を添えて、測量士名簿又は測量士補名簿に登録の申請をしなければならない。

2　測量士名簿及び測量士補名簿は、国土地理院に備える。

第五十条～第五十四条　（略）

第六章～第八章　（略）

測量法施行令（抜粋）

昭和二十四年　政令第三百二十二号
最終改正　令和元年　　　政令第百八十三号

第一章　総則

（局地的測量又は高度の精度を必要としない測量の範囲）

第一条　測量法（以下「法」という。）第五条及び法第六条に規定する政令で定める局地的測量又は高度の精度を必要としない測量は、次の各号に掲げるものとする。

一　建物に関する測量

二　百万分の一未満の小縮尺図の調製

三　横断面測量

四　前各号に掲げるものを除くほか、次に掲げる測量。ただし、既に実施された公共測量又は基本測量及び公共測量以外の測量に追加して、又は当該測量を修正するために行なわれる測量を除く。

イ　三角網の面積が七平方キロメートル（北海道にあつては、十平方キロメートル）未満であり、かつ、基本測量又は公共測量によつて設けられた三角点又は図根点を二点以上使用しない三角測量

ロ　路線の長さが六キロメートル（北海道にあつては、十キロメートル）未満であり、かつ、基本測量又は公共測量によつて設けられた三角点、図根点又は多角点を二点以上使用しない多角測量

ハ　路線の長さが十キロメートル未満であり、かつ、基本測量又は公共測量によつて設けられた水準点を二点以上使用しない水準測量（縦断面測量を含む。以下この条において同じ。）

ニ　面積が七平方キロメートル（北海道にあつては、十平方キロメートル）未満であり、かつ、基本測量又は公共測量によつて設けられた三角点、図根点、多角点又は水準点を二点以上使用しない地形測量又は平面測量

五　前各号に掲げるものを除くほか、誤差の許容限度（二以上の誤差の許容限度が定められる場合においては、そのすべての誤差の許容限度）が次に掲げる数値をこえる測量。ただし、既に実施された公共測量又は基本測量及び公共測量以外の測量に追加して、又は当該測量を修正するために行なわれる測量を除く。

イ　三角測量にあつては、三角形の角の閉合差が九十秒又は辺長の較差がその辺長の二千分の一

ロ　多角測量にあつては、座標の閉合比が千分の一

ハ　水準測量にあつては、閉合差が五センチメートルに路線の長さ（単位は、キロメートルとする。）の平方根を乗じたもの

ニ　地形測量又は平面測量にあつては、図上における平面位置の誤差が二ミリメートル

2　三角測量、多角測量、水準測量、地形測量又は平面測量の二以上の測量が一の計画に基づいて行なわれる場合において、そのうちのいずれかが前項第四号及び第五号の測量に該当しないものであるときは、当該計画に係る測量は、同項の規定にかかわらず、同項第四号及び第五号の測量に該当しないものとする。

（日本経緯度原点及び日本水準原点）

第二条　法第十一条第一項第四号に規定する日本経緯度原点の地点及び原点数値は、次のとおりとする。

一　地点　東京都港区麻布台二丁目十八番一地内日本経緯度原点金属標の十字の交点

二　原点数値　次に掲げる値

イ　経度　東経百三十九度四十四分二十八秒八八六九

ロ　緯度　北緯三十五度三十九分二十九秒一五七二

ハ　原点方位角　三十二度二十分四十六秒二〇九（前号の地点において真北を基準として右回りに測定した茨城県つくば市北郷一番地内つくば超長基線電波干渉計観測点金属標の十字の交点の方位角）

2　法第十一条第一項第四号に規定する日本水準原点の地点及び原点数値は、次のとおりとする。

一　地点　東京都千代田区永田町一丁目一番二地内水準点標石の水晶板の零分画線の中点

二　原点数値　東京湾平均海面上二十四・三九〇〇メートル

（長半径及び扁平率）

第三条　法第十一条第三項第一号に規定する長半径及び扁平率の政令で定める値は、次のとおりとする。

一　長半径　六百三十七万八千百三十七メートル

二　扁平率　二百九十八・二五七二二二一〇一分の一

第二章～第五章　（略）

2-2 公共測量の作業方法に関する規程

公共測量作業規程の準則（抜粋）

昭和26年8月25日　建設省告示第800号
最終改正　令和2年3月31日　国土交通省告示第461号

第1編　総則（略）

第2編　基準点測量

第1章　通則

第1節　要旨

（要旨）

第18条　本編は基準点測量の作業方法等を定めるものとする。

2 「基準点測量」とは、既知点に基づき、基準点の位置又は標高を定める作業をいう。

3 「基準点」とは、測量の基準とするために設置された測量標であって、位置に関する数値的な成果を有するものをいう。

4 「既知点」とは、既設の基準点（以下「既設点」という。）であって、基準点測量の実施に際してその成果が与件として用いられるものをいう。

5 「改測点」とは、基準点測量により改測される既設点であって、既知点以外のものをいう。

6 「新点」とは、基準点測量により新設される基準点（以下「新設点」という。）及び改測点をいう。

7 「PCV補正」とは、GNSSアンテナの受信位置の変化量についてパラメータを用いて補正することをいう。

（基準点測量の区分）

第19条　基準点測量は、水準測量を除く狭義の基準点測量（以下「基準点測量」という。）及び水準測量に区分するものとする。また、水準測量は、レベル等による水準測量及びGNSS測量機による水準測量に区分するものとする。

2　基準点は、基準点測量によって設置される狭義の基準点（以下「基準点」という。）及び水準測量によって設置される水準点に区分するものとする。

第2節　製品仕様書の記載事項

（製品仕様書）

第20条　製品仕様書は当該基準点測量又は水準測量の概覧、適用範囲、データ製品識別、データ内容及び構造、参照系、データ品質、データ製品配布、メタデータ等について体系的に記載するものとする。

第2章　基準点測量

第1節　要旨

（要旨）

第21条「基準点測量」とは、既知点に基づき、新点である基準点の位置を定める作業をいう。

2　基準点測量は、既知点の種類、既知点間の距離及び新点間の距離に応じて、1級基準点測量、2級基準点測量、3級基準点測量及び4級基準点測量に区分するものとする。

3　1級基準点測量により設置される基準点を1級基準点、2級基準点測量により設置される基準点を2級基準点、3級基準点測量により設置される基準点を3級基準点及び4級基準点測量により設置される基準点を4級基準点という。

4「GNSS」とは、人工衛星からの信号を用いて位置を決定する衛星測位システムの総称をいい、GPS、準天頂衛星システム、GLONASS、Galileo等の衛星測位システムがある。GNSS測量においては、GPS、準天頂衛星システム及びGLONASSを適用する。なお、準天頂衛星は、GPS衛星と同等の衛星として扱うことができるものとし、これらの衛星をGPS・準天頂衛星と表記する。

（既知点の種類等）

第22条　前条第2項に規定する基準点測量の各区分における既知点の種類、既知点間の距離及び新点間の距離は、次表を標準とする。

表（略）

2　基本測量又は前項の区分によらない公共測量により設置した既設点を既知点として用いる場合は、当該既設点を設置した測量が前項のどの区分に相当するかを特定の上、前項の規定に従い使用することができる。

3　1級基準点測量及び2級基準点測量においては、既知点を電子基準点（付属標を除く。以下同じ。）のみとすることができる。この場合、既知点間の距離の制限は適用しない。ただし、既知点とする電子基準点は、作業地域近傍のものを使用するものとする。

4　3級基準点測量及び4級基準点測量における既知点は、厳密水平網平均計算及び厳密高低網平均計算又は三次元網平均計算により設置された同級の基準点を既知点とすることができる。ただし、この場合においては、使用する既知点数の2分の1以下とする。

（基準点測量の方式）

第23条　基準点測量は、次の方式を標準とする。

一　1級基準点測量及び2級基準点測量は、原則として、結合多角方式により行うものとする。

二　3級基準点測量及び4級基準点測量は、結合多角方式又は単路線方式により行うものとする。

2　結合多角方式の作業方法は、次表を標準とする。

表（略）

3　単路線方式の作業方法は、次表を標準とする。

表（略）

第24条～第46条　（略）

第3章　レベル等による水準測量

第1節　要旨

（要旨）

第47条「レベル等による水準測量」とは、既知点に基づき、レベル及びTS等を用いて、新点である水準点の標高を定める作業をいう。

2　レベル等による水準測量は、既知点の種類、既知点間の路線長、観測の精度等に応じて、1級水準測量、2級水準測量、3級水準測量、4級水準測量及び簡易水準測量に区分するものとする。

3　1級水準測量により設置される水準点を1級水準点、2級水準測量により設置される水準点を2級水準点、3級水準測量により設置される水準点を3級水準点、4級水準測量により設置される水準点を4級水準点及び簡易水準測量により設置される水準点を簡易水準点という。

（既知点の種類等）

第48条　既知点の種類及び既知点間の路線長は、次表を標準とする。

表（略）

（水準路線）

第49条「水準路線」とは、2点以上の既知点を結合する路線をいう。直接に水準測量で結ぶことができない水準路線は、渡海（河）水準測量により連結するものとする。

（レベル等による水準測量の方式）

第50条　レベル等による水準測量は、次の方式を標準とする。

一　直接水準測量方式

二　渡海（河）水準測量方式

測量方法は、観測距離に応じて、次表により行うものとする。

表（略）

第51条～第73条（略）

第4章　GNSS測量機による水準測量

第1節　要旨

（要旨）

第74条「GNSS測量機による水準測量」とは、既知点に基づき、GNSS測量機を用いて、新設する水準点の標高を定める作業をいう。

2　GNSS測量機による水準測量は、本章で規定する既知点の種類、既知点間の路線長、観測の精度等により3級水準測量とし、設置される水準点の区分は第47条第3項に準ずるものとする。

3　GNSS測量機による水準測量の適用範囲は、ジオイド・モデルの提供地域とする。

（既知点の種類）

第75条　既知点の種類は、次表を標準とする。

表（略）

（GNSS測量機による水準測量の方式）

第76条　GNSS測量機による水準測量の作業方法は、次表を標準とする。

表（略）

第77条～第103条（略）

第3編　地形測量及び写真測量

第1章　通則

第1節　要旨

（要旨）

第104条　本編は、地形測量及び写真測量の作業方法等を定めるものとする。

2 「地形測量及び写真測量」とは、数値地形図データ等を作成又は修正する作業をいい、地図編集を含むものとする。

3 「数値地形図データ」とは、地形、地物等の位置、形状を表す座標データ及びその内容を表す属性データ等を、計算処理が可能な形態で表現したものをいう。

第2節　製品仕様書の記載事項

（製品仕様書）

第105条　製品仕様書は、当該地形測量及び写真測量の概覧、適用範囲、データ製品識別、データの内容及び構造、参照系、データ品質、データ製品配布、メタデータ等について体系的に記載するものとする。

（数値地形図データの精度）

第106条　数値地形図データの位置精度及び地図情報レベルは、次表を標準とする。

表　（略）

2 「地図情報レベル」とは、数値地形図データの地図表現精度を表し、数値地形図における図郭内のデータの平均的な総合精度を示す指標をいう。

3　地図情報レベルと地形図縮尺の関係は、次表のとおりとする。

表（略）

第3節　測量方法

（要旨）

第107条　製品仕様書で定めた数値地形図データ等を作成するための測量方法は、第2章から第12章までの規定に示す方法に基づき実施するものとする。

第4節　図式

（図式）

第108条　数値地形図データの図式は、目的及び地図情報レベルに応じて適切に定めるものとする。

2　地図情報レベル250の場合は、付録7の地図情報レベル500を準用することを標準とする。

3　地図情報レベル500から5000までの場合は、付録7を標準とする。

4　地図情報レベル10000は基本測量における1万分1地形図図式を標準とする。

5　地図情報レベルごとの地図項目の取得分類基準、数値地形図データのファイル仕様、数値地形図データファイル説明書、分類コード等は、付録7を使用することができる。

6　多言語による表記を行う場合は、付録8を標準とする。

第2章～第12章　（略）

第4編～第5編　（略）

附則

付録1～付録6　（略）

付録7　公共測量標準図式

第1章　総則

第1節　総則

（目的）

第１条　この図式は、作業規程の準則第108条に基づき、地図情報レベル5000以下の数値地形図の調製について、その取得する事項及び地形、地物等の取得方法、その他記号の適用等の基準を定め規格の統一を図ることを目的とする。

（数値地形図の性格）

第２条　数値地形図とは、都市、河川、道路、ダム等の計画、管理及び土木工事のために使用できる位置精度を有した地理空間情報及び数値地形図をいう。

第２節　表示の原則

（表示の対象）

第３条　数値地形図に表示する対象は、測量作業時に現存し、永続性のあるものとする。ただし、次に掲げる事項は、表示することができる。

一　建設中のもので、おおむね１年以内に完成する見込のもの。

二　永続性のないもので、特に必要と認められるもの。

（表示の方法）

第４条　数値地形図への表現は、地表面の状況を地図情報レベルに応じて正確詳細に表示する。

２　表示する対象は、それぞれの上方からの正射影（以下「正射影」という。）で、その形状を表示する。ただし、正射影で表示することが困難なものについては、正射影の位置に定められた記号で表示する。

３　特定の記号のないもので、特に表示する必要がある対象は、その位置を指示する点（以下「指示点」という。）を表示し、名称、種類等を文字により表示する。

（表示事項の転位）

第５条　数値地形図に表示する地物の水平位置の転位は、原則として行わない。

２　地図情報レベル2500以上に表示する地物の水平位置は、やむを得ない場合には地図情報レベルに対応する相当縮尺の出力図に限り、図上0.7mmまで転位させることができる。

（地図記号及び文字の大きさの許容誤差）

第６条　数値地形図に表示する記号及び文字の大きさの許容誤差は、表現上やむを得ないものに限り定められた大きさに対して図上±0.2mm以内とする。

（線の区分）

第７条　数値地形図に表示する線の区分は、次の表に定めるとおりとする。

表　（略）

第２章　地図記号

第１節　通則

（地図記号）

第８条　地図記号とは、対象物を数値地形図上に表現するために規定した記号をいい、境界等、交通施設、建物等、小物体、水部等、土地利用等及び地形等に区分する。

第２節　境界等

（境界等）

第９条　境界等は、境界及び所属界に区分する。

（境界）

第10条　境界とは、行政区画の境をいい、都府県界、北海道の支庁界、郡市・東京都の区界、町村・指定都市の区界、大字・町界・丁目界及び小字界に区分して表示する。

（所属界）

第11条　所属界とは、島等の所属を示す線をいい、用図上必要がある場合に表示する。

（未定境界）

第12条　未定境界とは、第10条に規定するもののうち、都府県界、北海道の支庁界、郡市・東京都の区界及び町村・指定都市の区界で未定であることが明らかな境界をいい、関係市町村間で意見の相違がある境界を含む。

2　未定境界は、間断区分を設定する。

3　未定境界は、数値地形図データでは表示しない。

第3節　交通施設

（交通施設）

第13条　交通施設は、道路、道路施設、鉄道及び鉄道施設に区分する。

（道路）

第14条　道路とは、一般交通の用に供する道路及び私有道路をいい、真幅道路、徒歩道、庭園路等、トンネル内の道路及び建設中の道路に区分して表示する。

2　真幅道路、庭園路等、トンネル内の道路及び建設中の道路は、その正射影を表示し、徒歩道は、正射影の中心線と記号の中心線を一致させて表示する。

（道路施設）

第15条　道路施設とは、道路と一体となってその効用を全うする施設をいう。

（鉄道）

第16条　鉄道とは、鉄道事業法及び軌道法に基づいて敷設された軌道等をいう。

2　鉄道は、軌道、又は軌道間の正射影の中心線と記号の中心線を一致させて表示する。

（鉄道施設）

第17条　鉄道施設とは、鉄道と一体となってその効用を全うする施設をいう。

第4節　建物等

（建物等）

第18条　建物等は、建物、建物に付属する構造物及び建物記号に区分する。

（建物）

第19条　建物とは、居住その他の目的をもって構築された建築物をいい、普通建物、堅ろう建物、普通無壁舎及び堅ろう無壁舎に区分して表示する。

2　建物は、射影の短辺が実長1m以上のものについて、その外周の正射影を表示することを原則とする。

（建物の付属物）

第20条　建物の付属物とは、門、屋門、たたき及びプールをいう。

（建物記号）

第21条　建物記号とは、建物の機能を明らかにするために定めた記号をいう。

2　特定の用途あるいは、機能を明らかにする必要のある建物には、注記することを原則とする。
3　建物規模が小さいもの及び市街地等の建物の錯雑する地域において、注記により重要な地物と重複するおそれのある場合には、定められた記号によって表示する。
4　大きな建物の一部にある郵便局、銀行等のうち、好目標となるもので必要と認められるものは、指示点を付して表示する。
5　建物記号の表示位置等は、次による。
一　建物の内部に表示できる場合は、中央に表示する。
二　建物の内部に表示できない場合は、指示点を付しその上方に表示することを原則とし、表示位置の記号を間断することが適当でない場合は、その景況に従い適宜の位置に表示することができる。

第5節　小物体

（小物体）

第22条　小物体は、公共施設及びその他の小物体に区分する。

（公共施設）

第23条　公共施設とは、電柱及びマンホールをいう。
2　電柱は、その支柱中心を記号中心と一致させて表示し、有線方向を1.0mm表示する。このとき、有線方向は、架設されているもの全てについて表示する。
3　支線及び枝線は、原則として表示しない。
4　マンホールは、共同溝、ガス、電話、電力、下水及び上水は規模等を考慮し、それぞれの記号で表示する。それ以外のものについては、公共性、規模等を考慮して、未分類を用いて表示する。

（その他の小物体）

第24条　その他の小物体とは、形状が一般に小さく、定められた記号によらなければ表示できない工作物をいう。
2　その他の小物体は、原則として好目標となるもので、地点の識別と指示のために必要なもの及び歴史的・学術的に著名なものを表示する。
3　その他の小物体の記号は、特に指定するものを除き、その記号の中心点又は中心線が当該小物体の真位置にあるように表示する。
4　定められた記号のない小物体は、その位置に指示点を付し、これにその名称又は種類を示す注記を添えて表示する。

第6節　水部等

（水部等）

第25条　水部等は、水部及び水部に関する構造物等に区分する。

（水部）

第26条　水部は、河川、細流、かれ川、用水路、湖池、海岸線、地下水路及び低位水涯線に区分する。

（水部に関する構造物等）

第27条　水部に関する構造物等とは、水涯線に付属するダム、せき、水門、防波堤等の構造物をいい、渡船発着所、滝、流水方向を含む。

第7節　土地利用等

（土地利用等）

第28条　土地利用等は、法面、構囲、諸地、場地及び植生に区分する。

（法面）

第29条　法面とは、切土あるいは盛土によって人工的に作られた斜面の部分をいう。

（構囲）

第30条　構囲とは、建物及び敷地等の周辺を区画する囲壁の類をいう。

（諸地）

第31条　諸地とは、集落に属する区域の中で、建物以外の土地をいい、空地、駐車場、花壇、園庭、墓地、材料置場及び太陽光発電設備に区分して表示し、区域界を含む。

2　区域界とは、諸地及び場地等のうち特に他の区域と区分する必要のある場合で、その区域が地物縁で表示できない場合に適用する。

3　建設中の区域は、区域界で表示する。

（場地）

第32条　場地とは、読図上他の区域と区別する必要のある城跡、史跡、名勝、天然記念物、温泉、鉱泉、公園、牧場、運動場、飛行場等の区域をいう。

2　場地は、その状況に応じて区域界及び場地記号又は注記により表示する。

3　場地記号は、区域のおおむね中央に表示するのを原則とする。ただし、特に指定する主要な箇所がある場合には、その位置に表示する。

（植生）

第33条　植生とは、地表面の植物の種類及びその覆われている状態をいい、植生界、耕地界及び植生記号により表示する。

2　植生の表示は、その地域の周縁を植生界等で囲み、その内部にそれぞれの植生記号を入力する。

3　既耕地の植生記号は、植生界、耕地界及び地物で囲まれる区域の中央部に一個表示する。ただし、一個では植生の現況が明示できない場合にはその景況に応じて意匠的に表示することができる。

4　未耕地の植生記号は、図上4.0cm × 4.0cmにおおむね2～4個をその景況に応じて意匠的に表示する。

第8節　地形等

（地形等）

第34条　地形等とは、地表の起伏の状態をいい、等高線、変形地、基準点及び数値地形モデルに区分する。

2　地形の起伏は等高線によって表示することを原則とし、等高線による表現が困難又は不適当な地形は変形地の記号を用いて表示する。

（等高線）

第35条　等高線は、計曲線、主曲線、補助曲線、特殊補助曲線及びそれらの凹地曲線に区分して表示する。

2　等高線には、属性数値に等高線数値を格納する。

（変形地）

第36条　変形地とは、自然によって作られた地表の起伏の状態をいい、土がけ、雨裂、急斜面、洞口、岩がけ、露岩、散岩及びさんご礁に区分して表示する。

（基準点）

第37条　基準点は、電子基準点、三角点、水準点、多角点等、公共電子基準点、公共基準点（三角点）、公共基準点（水準点）、公共基準点（多角点等）、その他の基準点、標石を有しない標高点及び図化機測定による標高点に区分して表示する。

2　標高数値の表示は、水準点及び公共基準点（水準点）は、小数点以下第3位までとし、電子基準点、三角点、多角点等、公共基準点（三角点）、公共電子基準点、公共基準点（多角点等）、その他の基準点及び標石を有しない標高点は、小数点以下第2位までとし、図化機測定による標高点は、小数点以下第1位までとする。

3　標高数値は、属性数値に小数点以下3位まで格納するものとし、有効桁数以下の位には0を与えるものとする。

4　基準点の表示密度は、等高線数値を含めて図上10cm × 10cmに10点を標準とする。

（数値地形モデル）

第38条　数値を用いた地形表現をいう。

第9節　地図記号の様式

（地図記号の様式）

第39条　地図情報レベル500、1000、2500、5000の地図記号の様式及び適用は、「公共測量標準図式 数値地形図データ取得分類基準表」による。

2　応用測量の地図記号の様式及び適用は、「公共測量標準図式 数値地形図データ取得分類基準表 応用測量」による。

3　測量記録の地図記号の様式及び適用は、「公共測量標準図式 数値地形図データ図取得分類基準表測量記録」による。

第3章～第5章　（略）

数値地形図データファイル仕様　第1章～第5章　（略）

付録8　（略）

別表1　（略）

2-3 地盤の許容応力度及び基礎ぐいの許容支持力の算定に係る地盤調査の方法

地盤の許容応力度及び基礎ぐいの許容支持力を求めるための地盤調査の方法並びにその結果に基づき地盤の許容応力度及び基礎ぐいの許容支持力を定める方法等を定める件（抜粋）

平成13年7月2日　国土交通省告示第1113号
最終改正　令和元年6月25日　国土交通省告示第203号

建築基準法施行令（昭和25年政令第338号）第93条の規定に基づき、地盤の許容応力度及び基礎ぐいの許容支持力を求めるための地盤調査の方法を第1に、その結果に基づき地盤の許容応力度及び基礎ぐいの許容支持力を定める方法を第2から第6に定め、並びに同令第94条の規定に基づき、地盤アンカーの引抜き方向の許容応力度を第7に、くい体又は地盤アンカー体に用いる材料の許容応力度を第8に定める。

第1　地盤の許容応力度及び基礎ぐいの許容支持力を求めるための地盤調査の方法は、次の各号に掲げるものとする。

一　ボーリング調査
二　標準貫入試験
三　静的貫入試験
四　ベーン試験
五　土質試験
六　物理探査
七　平板載荷試験
八　載荷試験
九　くい打ち試験
十　引抜き試験

第2　地盤の許容応力度を定める方法は、次の表の⑴項、⑵項又は⑶項に掲げる式によるものとする。ただし、地震時に液状化するおそれのある地盤の場合又は⑶項に掲げる式を用いる場合において、基礎の底部から下方2m以内の距離にある地盤にスウェーデン式サウンディングの荷重が1kN以下で自沈する層が存在する場合若しくは基礎の底部から下方2mを超え5m以内の距離にある地盤にスウェーデン式サウンディングの荷重が500N以下で自沈する層が存在する場合にあっては、建築物の自重による沈下その他の地盤の変形等を考慮して建築物又は建築物の部分に有害な損傷、変形及び沈下が生じないことを確かめなければならない。

	長期に生ずる力に対する地盤の許容応力度を定める場合	短期に生ずる力に対する地盤の許容応力度を定める場合
(1)	$qa = \frac{1}{3}(ic\,\alpha\,C\,Nc + i\gamma\,\beta\,\gamma_1\,B\,N\gamma + iq\,\gamma_2\,Df\,Nq)$	$qa = \frac{2}{3}(ic\,\alpha\,C\,Nc + i\gamma\,\beta\,\gamma_1\,B\,N\gamma + iq\,\gamma_2\,Df\,Nq)$
(2)	$qa = qt + \frac{1}{3}N'\gamma_2\,Df$	$qa = 2qt + \frac{1}{3}N'\gamma_2\,Df$
(3)	$qa = 30 + 0.6\overline{Nsw}$	$qa = 60 + 1.2\overline{Nsw}$

この表において、qa、ic、$i\gamma$、iq、α、β、C、B、Nc、$N\gamma$、Nq、γ_1、γ_2、Df、qt、N′及び$\overline{Nsw}$は、それぞれ次の数値を表すものとする。

qa　地盤の許容応力度（単位　kN/m^2）

ic、$i\gamma$及びiq　基礎に作用する荷重の鉛直方向に対する傾斜角に応じて次の式によって計算した数値

$ic = iq = (1 - \theta/90)^2$

$i\gamma = (1 - \theta/\phi)^2$

（これらの式において、θ及びϕは、それぞれ次の数値を表すものとする。
θ　基礎に作用する荷重の鉛直方向に対する傾斜角（θがϕを超える場合は、ϕとする。）（単位　度）
ϕ　地盤の特性によって求めた内部摩擦角（単位　度））

α及びβ　基礎荷重面の形状に応じて次の表に掲げる係数

係数＼基礎荷重面の形状	円　形	円形以外の形状
α	1.2	$1.0 + 0.2\frac{B}{L}$
β	0.3	$0.5 - 0.2\frac{B}{L}$

この表において、B及びLは、それぞれの基礎荷重面の短辺又は短径及び長辺又は長径の長さ（単位　m）を表すものとする。

C　基礎荷重面下にある地盤の粘着力（単位　kN/m^2）

B　基礎荷重面の短辺又は短径（単位　m）

Nc、$N\gamma$及びNq　地盤内部の摩擦角に応じて次の表に掲げる支持力係数

支持力係数＼内部摩擦角	0度	5度	10度	15度	20度	25度	28度	32度	36度	40度以上
Nc	5.1	6.5	8.3	11.0	14.8	20.7	25.8	35.5	50.6	75.3
$N\gamma$	0	0.1	0.4	1.1	2.9	6.8	11.2	22.0	44.4	93.7
Nq	1.0	1.6	2.5	3.9	6.4	10.7	14.7	23.2	37.8	64.2

この表に掲げる内部摩擦角以外の内部摩擦角に応じたNc、$N\gamma$及びNqは、表に掲げる数値をそれぞれ直線的に補間した数値とする。

γ_1　基礎荷重面下にある地盤の単位体積重量又は水中単位体積重量（単位　kN/m^3）

γ_2　基礎荷重面より上方にある地盤の平均単位体積重量又は水中単位体積重量（単位　kN/m^3）

Df　基礎に近接した最低地盤面から基礎荷重面までの深さ（単位　m）

qt　平板載荷試験による降伏荷重度の$\frac{1}{2}$の数値又は極限応力度の$\frac{1}{3}$の数値のうちいずれか小さい数値（単位　kN/m^2）

N′　基礎荷重面下の地盤の種類に応じて次の表に掲げる係数

地盤の種類 ＼ 係数	密実な砂質地盤	砂質地盤（密実なものを除く。）	粘土質地盤
N′	12	6	3

$\overline{Nsw}$　基礎の底部から下方2m以内の距離にある地盤のスウェーデン式サウンディングにおける1mあたりの半回転数（150を超える場合は150とする。）の平均値（単位　回）

第3　セメント系固化材を用いて改良された地盤の改良体（セメント系固化材を改良前の地盤と混合し固結したものをいう。以下同じ。）の許容応力度を定める方法は、次の表に掲げる改良体の許容応力度によるものとする。この場合において、改良体の設計基準強度（設計に際し採用する圧縮強度をいう。以下第3において同じ。）は、改良体から切り取ったコア供試体若しくはこれに類する強度に関する特性を有する供試体について行う強度試験により得られた材齢が28日の供試体の圧縮強度の数値又はこれと同程度に構造耐力上支障がないと認められる圧縮強度の数値以下とするものとする。

長期に生ずる力に対する改良体の許容応力度（単位　kN/m^2）	短期に生ずる力に対する改良体の許容応力度（単位　kN/m^2）
$\frac{1}{3}F$	$\frac{2}{3}F$
この表において、Fは、改良体の設計基準強度（単位　kN/m^2）を表すものとする。	

第4　第2及び第3の規定にかかわらず、地盤の許容応力度を定める方法は、適用する改良の方法、改良の範囲及び地盤の種類ごとに、基礎の構造形式、敷地、地盤その他の基礎に影響を与えるものの実況に応じた平板載荷試験又は載荷試験の結果に基づいて、次の表に掲げる式によることができるものとする。

長期に生ずる力に対する改良された地盤の許容応力度を定める場合	短期に生ずる力に対する改良された地盤の許容応力度を定める場合
$qa=\frac{1}{3}qb$	$qa=\frac{2}{3}qb$
この表において、qa及びqbは、それぞれ次の数値を表すものとする。 qa　改良された地盤の許容応力度（単位　kN/m^2） qb　平板載荷試験又は載荷試験による極限応力度（単位　kN/m^2）	

第5　基礎ぐいの許容支持力を定める方法は、基礎ぐいの種類に応じて、次の各号に定めるところによるものとする。

一　支持ぐいの許容支持力は、打込みぐい、セメントミルク工法による埋込みぐい又はアースドリル工法、リバースサーキュレーション工法若しくはオールケーシング工法による場所打ちコンクリートぐい（以下「アースドリル工法等による場所打ちぐい」という。）の場合にあっては、次の表の(1)項又は(2)項の式（基礎ぐいの周囲の地盤に軟弱な粘土質地盤、軟弱な粘土質地盤の上部にある砂質地盤又は地震時に液状化するおそれのある地盤が含まれる場合にあっては(2)項の式)、その他の基礎ぐいの場合にあっては、次の表の(1)項の式(基礎ぐいの周囲の地盤に軟弱な粘土質地盤、軟弱な粘土質地盤の上部にある砂質地盤又は地震時に液状化するおそれのある地盤が含まれない場合に限る。)によりそれぞれ計算した地盤の許容支持力又はくい体の許容耐力のうちいずれか小さい数値とすること。ただし、同表の(1)項の長期に生ずる力に対する地盤の許容支持力は、同表の(1)項の短期に生ずる力に対する地盤の許容支持力の数値未満の数値で、かつ、限界沈下量(載荷試験からくい頭荷重の載荷によって生ずるくい頭沈下量を求め、くい体及び建築物又は建築物の部分に有害な損傷、変形及び沈下が生じないと認められる場合におけるくい頭沈下量をいう。以下同じ。)に対応したくい頭荷重の数値とすることができる。

	長期に生ずる力に対する地盤の許容支持力	短期に生ずる力に対する地盤の許容支持力
(1)	$Ra = \frac{1}{3} Ru$	$Ra = \frac{2}{3} Ru$
(2)	$Ra = qp\,Ap + \frac{1}{3} R_F$	$Ra = 2qp\,Ap + \frac{2}{3} R_F$

この表において、Ra、Ru、qp、Ap及びR_Fは、それぞれ次の数値を表すものとする。

Ra　地盤の許容支持力(単位　kN)

Ru　載荷試験による極限支持力(単位　kN)

qp　基礎ぐいの先端の地盤の許容応力度(次の表の左欄に掲げる基礎ぐいにあっては右欄の当該各項に掲げる式により計算した数値とする。)(単位　kN/m^2)

基礎ぐいの種類	基礎ぐいの先端の地盤の許容応力度
打込みぐい	$qp = \frac{300}{3} \overline{N}$
セメントミルク工法による埋込みぐい	$qp = \frac{200}{3} \overline{N}$
アースドリル工法等による場所打ちぐい	$qp = \frac{150}{3} \overline{N}$

この表において、$\overline{N}$は、基礎ぐいの先端付近の地盤の標準貫入試験による打撃回数の平均値(60を超えるときは60とする。)(単位　回)を表すものとする。

Ap　基礎ぐいの先端の有効断面積(単位　m^2)

R_F　次の式により計算した基礎ぐいとその周囲の地盤(地震時に液状化するおそれのある地盤を除き、軟弱な粘土質地盤又は軟弱な粘土質地盤の上部にある砂質地盤にあっては、建築物の自重による沈下その他の地盤の変形等を考慮して建築物又は建築物の部分に有害な損傷、変形及び沈下が生じないことを確かめたものに限る。以下この表において同じ。)との摩擦力(単位　kN)

$$R_F = \left(\frac{10}{3} \overline{N_S} L_S + \frac{1}{2} \overline{qu} L_C \right) \psi$$

この式において、$\overline{N_S}$、L_S、$\overline{qu}$、L_C及びψは、それぞれ次の数値を表すものとする。
$\overline{N_S}$　基礎ぐいの周囲の地盤のうち砂質地盤の標準貫入試験による打撃回数（30を超えるときは30とする。）の平均値（単位　回）
L_S　基礎ぐいがその周囲の地盤のうち砂質地盤に接する長さの合計（単位　m）
$\overline{qu}$　基礎ぐいの周囲の地盤のうち粘土質地盤の一軸圧縮強度（200を超えるときは200とする。）の平均値（単位　kN/m^2）
L_C　基礎ぐいがその周囲の地盤のうち粘土質地盤に接する長さの合計（単位　m）
ψ　基礎ぐいの周囲の長さ（単位　m）

二　摩擦ぐいの許容支持力は、打込みぐい、セメントミルク工法による埋込みぐい又はアースドリル工法等による場所打ちぐいの場合にあっては、次の表の(1)項又は(2)項の式（基礎ぐいの周囲の地盤に軟弱な粘土質地盤、軟弱な粘土質地盤の上部にある砂質地盤又は地震時に液状化するおそれのある地盤が含まれる場合にあっては(2)項の式）、その他の基礎ぐいの場合にあっては、次の表の(1)項の式（基礎ぐいの周囲の地盤に軟弱な粘土質地盤、軟弱な粘土質地盤の上部にある砂質地盤又は地震時に液状化するおそれのある地盤が含まれない場合に限る。）によりそれぞれ計算した基礎ぐいとその周囲の地盤との摩擦力又はくい体の許容耐力のうちいずれか小さい数値とすること。ただし、同表の(1)項の長期に生ずる力に対する基礎ぐいとその周囲の地盤との摩擦力は、同表の(1)項の短期に生ずる力に対する基礎ぐいとその周囲の地盤との摩擦力の数値未満の数値で、かつ、限界沈下量に対応したくい頭荷重の数値とすることができる。

	長期に生ずる力に対する基礎ぐいとその周囲の地盤との摩擦力	短期に生ずる力に対する基礎ぐいとその周囲の地盤との摩擦力
(1)	$Ra = \frac{1}{3} Ru$	$Ra = \frac{2}{3} Ru$
(2)	$Ra = \frac{1}{3} R_F$	$Ra = \frac{2}{3} R_F$

この表において、Raは、基礎ぐいとその周囲の地盤との摩擦力（単位　kN）を、Ru及びR_Fは、それぞれ前号に掲げる数値を表すものとする。

三　基礎ぐいの引抜き方向の許容支持力は、打込みぐい、セメントミルク工法による埋込みぐい又はアースドリル工法等による場所打ちぐいの場合にあっては、次の表の(1)項又は(2)項の式（基礎ぐいの周囲の地盤に軟弱な粘土質地盤、軟弱な粘土質地盤の上部にある砂質地盤又は地震時に液状化するおそれのある地盤が含まれる場合にあっては(2)項の式）、その他の基礎ぐいの場合にあっては、次の表の(1)項の式（基礎ぐいの周囲の地盤に軟弱な粘土質地盤、軟弱な粘土質地盤の上部にある砂質地盤又は地震時に液状化するおそれのある地盤が含まれない場合に限る。）によりそれぞれ計算した地盤の引抜き方向の許容支持力又はくい体の許容耐力のうちいずれか小さい数値とすること。

	長期に生ずる力に対する地盤の引抜き方向の許容支持力	短期に生ずる力に対する地盤の引抜き方向の許容支持力
(1)	$tRa = \frac{1}{3} tRu + wp$	$tRa = \frac{2}{3} tRu + wp$
(2)	$tRa = \frac{4}{15} R_F + wp$	$tRa = \frac{8}{15} R_F + wp$
この表において、tRa、tRu、R_F及びwpは、それぞれ次の数値を表すものとする。 tRa　地盤の引抜き方向の許容支持力（単位　kN） tRu　引抜き試験により求めた極限引抜き抵抗力（単位　kN） R_F　第一号に掲げるR_F（単位　kN） wp　基礎ぐいの有効自重（基礎ぐいの自重より実況によって求めた浮力を減じた数値をいう。）（単位　kN）		

第6　第5の規定にかかわらず、基礎ぐいの許容支持力又は基礎ぐいの引抜き方向の許容支持力を定める方法は、基礎の構造形式、敷地、地盤その他の基礎に影響を与えるものの実況に応じて次に定めるところにより求めた数値によることができるものとする。

一　基礎ぐいの許容支持力は、次の表に掲げる式により計算した地盤の許容支持力又は基礎ぐいの許容耐力のうちいずれか小さい数値とすること。ただし、地盤の許容支持力は、適用する地盤の種類及び基礎ぐいの構造方法ごとに、それぞれ基礎ぐいを用いた載荷試験の結果に基づき求めたものとする。

長期に生ずる力に対する地盤の許容支持力	短期に生ずる力に対する地盤の許容支持力
$Ra = \frac{1}{3} \{\alpha \overline{N} Ap + (\beta \overline{Ns} Ls + \gamma \overline{qu} Lc) \psi\}$	$Ra = \frac{2}{3} \{\alpha \overline{N} Ap + (\beta \overline{Ns} Ls + \gamma \overline{qu} Lc) \psi\}$
この表において、Ra、$\overline{N}$、Ap、$\overline{Ns}$、Ls、$\overline{qu}$、Lc、ψ、α、β及びγは、それぞれ次の数値を表すものとする。 Ra　地盤の許容支持力（単位　kN） $\overline{N}$　基礎ぐいの先端付近の地盤の標準貫入試験による打撃回数の平均値（60を超えるときは60とする。）（単位　回） Ap　基礎ぐいの先端の有効断面積（単位　m^2） $\overline{Ns}$　基礎ぐいの周囲の地盤のうち砂質地盤の標準貫入試験による打撃回数の平均値（単位　回） Ls　基礎ぐいがその周囲の地盤のうち砂質地盤に接する長さの合計（単位　m） $\overline{qu}$　基礎ぐいの周囲の地盤のうち粘土質地盤の一軸圧縮強度の平均値（単位　kN/m^2） Lc　基礎ぐいがその周囲の地盤のうち粘土質地盤に接する長さの合計（単位　m） ψ　基礎ぐいの周囲の長さ（単位　m） α、β及びγ　基礎ぐいの先端付近の地盤又は基礎ぐいの周囲の地盤（地震時に液状化するおそれのある地盤を除き、軟弱な粘土質地盤又は軟弱な粘土質地盤の上部にある砂質地盤にあっては、建築物の自重による沈下その他の地盤の変形等を考慮して建築物又は建築物の部分に有害な損傷、変形及び沈下が生じないことを確かめたものに限る。）の実況に応じた載荷試験により求めた数値	

二　基礎ぐいの引抜き方向の許容支持力は、次の表に掲げる式により計算した地盤の引抜き方向の許容支持力又は基礎ぐいの許容耐力のうちいずれか小さい数値とすること。ただし、地盤の引抜き方向の許容支持力は、適用する地盤の種類及び基礎ぐいの構造方法ごとに、それぞれ基礎ぐいを用いた引抜き試験の結果に基づき求めたものとする。

<table>
<tr><td>長期に生ずる力に対する地盤の引抜き方向の許容支持力</td><td>短期に生ずる力に対する地盤の引抜き方向の許容支持力</td></tr>
<tr><td>$tRa = \frac{1}{3}\{\kappa \overline{N}\, Ap + (\lambda \overline{Ns}\, Ls + \mu \overline{qu}\, Lc)\, \psi\} + wp$</td><td>$tRa = \frac{2}{3}\{\kappa \overline{N}\, Ap + (\lambda \overline{Ns}\, Ls + \mu \overline{qu}\, Lc)\, \psi\} + wp$</td></tr>
<tr><td colspan="2">この表において、tRa、$\overline{N}$、Ap、$\overline{Ns}$、Ls、$\overline{qu}$、Lc、ψ、wp、κ、λ及びμは、それぞれ次の数値を表すものとする。
tRa　地盤の引抜き方向の許容支持力（単位　kN）
$\overline{N}$　基礎ぐいの先端付近の地盤の標準貫入試験による打撃回数の平均値（60を超えるときは60とする。）（単位　回）
Ap　基礎ぐいの先端の有効断面積（単位 m^2）
$\overline{Ns}$　基礎ぐいの周囲の地盤のうち砂質地盤の標準貫入試験による打撃回数の平均値（単位　回）
Ls　基礎ぐいがその周囲の地盤のうち砂質地盤に接する長さの合計（単位　m）
$\overline{qu}$　基礎ぐいの周囲の地盤のうち粘土質地盤の一軸圧縮強度の平均値（単位　kN/m^2）
Lc　基礎ぐいがその周囲の地盤のうち粘土質地盤に接する長さの合計（単位　m）
ψ　基礎ぐいの周囲の長さ（単位　m）
wp　基礎ぐいの有効自重（基礎ぐいの自重より実況によって求めた浮力を減じた数値をいう。）（単位　kN）
κ、λ及びμ　基礎ぐいの先端付近の地盤又は基礎ぐいの周囲の地盤（地震時に液状化するおそれのある地盤を除き、軟弱な粘土質地盤又は軟弱な粘土質地盤の上部にある砂質地盤にあっては、建築物の自重による沈下その他の地盤の変形等を考慮して建築物又は建築物の部分に有害な損傷、変形及び沈下が生じないことを確かめたものに限る。）の実況に応じた引抜き試験により求めた数値</td></tr>
</table>

第7　地盤アンカーの引抜き方向の許容応力度は、鉛直方向に用いる場合に限り、次の表に掲げる式により計算した地盤の引抜き方向の許容支持力又は地盤アンカー体の許容耐力のうちいずれか小さな数値を地盤アンカー体の種類及び形状により求まる有効面積で除した数値によらなければならない。

<table>
<tr><td>長期に生ずる力に対する地盤の引抜き方向の許容支持力</td><td>短期に生ずる力に対する地盤の引抜き方向の許容支持力</td></tr>
<tr><td>$tRa = \frac{1}{3} tRu$</td><td>$tRa = \frac{2}{3} tRu$</td></tr>
<tr><td colspan="2">この表において、tRa及びtRuは、それぞれ次の数値を表すものとする。
tRa　地盤の引抜き方向の許容支持力（単位　kN）
tRu　第1に定める引抜き試験により求めた極限引抜き抵抗力（単位　kN）</td></tr>
</table>

第8　（略）

附則（抄）

1（略）

2　昭和46年建設省告示第111号は、廃止する。

2-4 基礎ぐいの適正な設計

国住指第4240号
平成28年3月4日

各建築設計関係団体の長　殿

国土交通省住宅局建築指導課長

基礎ぐいの適正な設計について

横浜市の分譲マンションに端を発した基礎ぐい工事に係る問題の発生を受けて、「基礎ぐい工事問題に関する対策委員会」を設置し、再発防止策等についてご検討いただき、昨年12月25日に中間とりまとめを行っていただいたところです。

中間とりまとめにおいては、「地盤の特性に応じた設計方法等に関する周知徹底」が再発防止策の一つとして提言されております。

今般、上記提言を受け、基礎ぐいの設計における留意点をまとめ、下記のとおり通知しますので、貴団体におかれましては、貴団体所属の事業者や建築士に周知していただくとともに、各団体において講じられた措置について、国土交通省に報告いただきますようお願いします。

記

1．地盤調査結果に基づく適切な設計の実施

設計者は、発注者から提供される地盤情報又は発注者の指示により実施される地盤調査の結果に基づき、支持層を設定し、基礎ぐいの設計を行うこととなりますが、既存の調査結果では設計を行ううえで地盤情報が不十分である場合は、発注者と協議し、発注者による追加の地盤調査に基づき設計を行う、又は、発注者の了解及び費用負担のもと、追加の地盤調査を実施したうえで設計を行う必要があります。なお、既存の建築物が存在するなど、設計段階で地盤調査を十分に行うことができない場合は、施工時に支持層確認を特に注意して行い、必要であれば、発注者の了解及び費用負担の下で追加の地盤調査を実施することなどを、設計図書に記載する必要があります。

また、既製コンクリートぐいは、設計図書を踏まえて事前に工場生産することが通例であり、場所打ちコンクリートぐいと比べて、大幅なくい長変更が発生した場合に現場での迅速な対応が困難となることを踏まえて、適確に支持層を設定することができるよう地盤情報が十分である必要があります。

2．十分な地盤調査の実施

地盤調査を実施する数量については、「建築基礎設計のための地盤調査計画指針」（日本建築学会、平成21年）にボーリング調査を実施する数量の目安が示されています。当該指針によれば、例えば、建築面積が1万平方メートルの規模の建築物のボーリング調査の数量の目安としては、

- 地層構成に変化がない場合：5～10本
- 地層が変化していると想定される場合：10～20本

とされています。また、支持層の把握のためには、必要なボーリング調査を実施し、等値線図（コンター図）を描くことが有効です。設計者は、こうしたボーリング調査の数量等の目安を参考としつつ、支持層の傾斜や起伏が想定される場合等の複雑な地盤の場合、支持層を誤認するなどの施工不良のリスクを低減するため、通常よりもボーリング調査の数量を増やすなど、設計を行う敷地の地盤状況及び建築物の配置計画等に応じた適切な箇所及び数量の地盤調査の実施を発注者に求めることが重要です。

この場合、既成市街地などでは、敷地に既存ぐいや改良地盤、地中障害物等が存在する場合があるので、これらの影響も勘案した地盤調査の実施を求めることが重要です。

3．地盤情報等の工事施工者等のとの情報共有

複雑な地盤かどうか、既存ぐいの有無及びその処理などの設計の際に把握した地盤情報や、設計において選定した基礎ぐいの種類や工法の特徴、施工・工事監理において確認すべき項目と確認方法などの当該基礎ぐいの施工上の留意事項等について、設計図書に記載するとともに、施工前に行う工事施工者等に対する設計内容説明時にこれらの内容について十分に説明し、注意喚起を行うなど、工事施工者等へ適切に情報提供することが重要です。

2-5 公害対策基本法に基づく土壌汚染環境基準

公害対策基本法（昭和42年法律第132号）第9条の規定に基づく土壌の汚染に係る環境基準

平成3年8月23日　環境庁告示第46号
最終改正　令和2年4月2日　環境省告示第44号

環境基本法（平成5年法律第91号）第16条第1項による土壌の汚染に係る環境上の条件につき、人の健康を保護し、及び生活環境を保全するうえで維持することが望ましい基準（以下「環境基準」という。）並びにその達成期間等は、次のとおりとする。

第1　環境基準

1　環境基準は、別表の項目の欄に掲げる項目ごとに、同表の環境上の条件の欄に掲げるとおりとする。

2　1の環境基準は、別表の項目の欄に掲げる項目ごとに、当該項目に係る土壌の汚染の状況を的確に把握することができると認められる場所において、同表の測定方法の欄に掲げる方法により測定した場合における測定値によるものとする。

3　1の環境基準は、汚染がもっぱら自然的原因によることが明らかであると認められる場所及び原材料の堆積場、廃棄物の埋立地その他の別表の項目の欄に掲げる項目に係る物質の利用又は処分を目的として現にこれらを集積している施設に係る土壌については、適用しない。

第2　環境基準の達成期間等

環境基準に適合しない土壌については、汚染の程度や広がり、影響の態様等に応じて可及的速やかにその達成維持に努めるものとする。

なお、環境基準を早期に達成することが見込まれない場合にあっては、土壌の汚染に起因する環境影響を防止するために必要な措置を講ずるものとする。

別表

項　目	環境上の条件	測定方法
カドミウム	検液1Lにつき0.003mg以下であり、かつ、農用地においては、米1kgにつき0.4mg以下であること。	環境上の条件のうち、検液中濃度に係るものにあっては、日本産業規格 K 0102（以下「規格」という。）の55.2、55.3又は55.4に定める方法、農用地に係るものにあっては、昭和46年6月農林省令第47号に定める方法
全シアン	検液中に検出されないこと。	規格38に定める方法（規格38.1.1及び38の備考11に定める方法を除く。）又は昭和46年12月環境庁告示第59号付表1に掲げる方法
有機燐（りん）	検液中に検出されないこと。	昭和49年9月環境庁告示第64号付表1に掲げる方法又は規格31.1に定める方法のうちガスクロマトグラフ法以外のもの（メチルジメトンにあっては、昭和49年9月環境庁告示第64号付表2に掲げる方法）
鉛	検液1Lにつき0.01mg以下であること。	規格54に定める方法
六価クロム	検液1Lにつき0.05mg以下であること。	規格65.2（規格65.2.7を除く。）に定める方法（ただし、規格65.2.6に定める方法により塩分の濃度の高い試料を測定する場合にあっては、日本産業規格 K 0170-7の7のa)又はb)に定める操作を行うものとする。）
砒（ひ）素	検液1Lにつき0.01mg以下であり、かつ、農用地（田に限る。）においては、土壌1kgにつき15mg未満であること。	環境上の条件のうち、検液中濃度に係るものにあっては、規格61に定める方法、農用地に係るものにあっては、昭和50年4月総理府令第31号に定める方法
総水銀	検液1Lにつき0.0005mg以下であること。	昭和46年12月環境庁告示第59号付表2に掲げる方法
アルキル水銀	検液中に検出されないこと。	昭和46年12月環境庁告示第59号付表3及び昭和49年9月環境庁告示第64号付表3に掲げる方法
PCB	検液中に検出されないこと。	昭和46年12月環境庁告示第59号付表4に掲げる方法
銅	農用地（田に限る。）において、土壌1kgにつき125mg未満であること。	昭和47年10月総理府令第66号に定める方法
ジクロロメタン	検液1Lにつき0.02mg以下であること。	日本産業規格 K 0125の5.1、5.2又は5.3.2に定める方法
四塩化炭素	検液1Lにつき0.002mg以下であること。	日本産業規格 K 0125の5.1、5.2、5.3.1、5.4.1又は5.5に定める方法
クロロエチレン（別名塩化ビニル又は塩化ビニルモノマー）	検液1Lにつき0.002mg以下であること。	平成9年3月環境庁告示第10号付表に掲げる方法
1, 2－ジクロロエタン	検液1Lにつき0.004mg以下であること。	日本産業規格 K 0125の5.1、5.2、5.3.1又は5.3.2に定める方法

項　目	環境上の条件	測定方法
1, 1 －ジクロロエチレン	検液1Lにつき0.1mg以下であること。	日本産業規格 K 0125の5.1、5.2又は5.3.2に定める方法
1, 2 －ジクロロエチレン	検液1Lにつき0.04mg以下であること	シス体にあっては日本産業規格K 0125の5.1、5.2又は5.3.2に定める方法、トランス体にあっては日本産業規格K 0125の5.1、5.2又は5.3.1に定める方法
1, 1, 1 －トリクロロエタン	検液1Lにつき1mg以下であること。	日本産業規格 K 0125の5.1、5.2、5.3.1、5.4.1又は5.5に定める方法
1, 1, 2 －トリクロロエタン	検液1Lにつき0.006mg以下であること。	日本産業規格 K 0125の5.1、5.2、5.3.1、5.4.1又は5.5に定める方法
トリクロロエチレン	検液1 Lにつき0.01mg以下であること。	日本産業規格 K 0125の5.1、5.2、5.3.1、5.4.1又は5.5に定める方法
テトラクロロエチレン	検液1Lにつき0.01mg以下であること。	日本産業規格 K 0125の5.1、5.2、5.3.1、5.4.1又は5.5に定める方法
1, 3 －ジクロロプロペン	検液1Lにつき0.002mg以下であること。	日本産業規格 K 0125の5.1、5.2又は5.3.1に定める方法
チウラム	検液1Lにつき0.006mg以下であること。	昭和46年12月環境庁告示第59号付表5に掲げる方法
シマジン	検液1Lにつき0.003mg以下であること。	昭和46年12月環境庁告示第59号付表6の第1又は第2に掲げる方法
チオベンカルブ	検液1Lにつき0.02mg以下であること。	昭和46年12月環境庁告示第59号付表6の第1又は第2に掲げる方法
ベンゼン	検液1Lにつき0.01mg以下であること。	日本産業規格 K 0125の5.1、5.2又は5.3.2に定める方法
セレン	検液1Lにつき0.01mg以下であること。	規格67.2、67.3又は67.4に定める方法
ふっ素	検液1Lにつき0.8mg以下であること。	規格34.1（規格34の備考1を除く。）若しくは34.4（妨害となる物質としてハロゲン化合物又はハロゲン化水素が多量に含まれる試料を測定する場合にあっては、蒸留試薬溶液として、水約200mlに硫酸10ml、りん酸60ml及び塩化ナトリウム10gを溶かした溶液とグリセリン250mlを混合し、水を加えて1,000mlとしたものを用い、日本産業規格K 0170−6の6 図2 注記のアルミニウム溶液のラインを追加する。）に定める方法又は規格34.1.1 c）（注⑵第3文及び規格34の備考1を除く。）に定める方法（懸濁物質及びイオンクロマトグラフ法で妨害となる物質が共存しないことを確認した場合にあっては、これを省略することができる。）及び昭和46年12月環境庁告示第59号付表7に掲げる方法
ほう素	検液1Lにつき1mg以下であること。	規格47.1、47.3又は47.4に定める方法

項　目	環境上の条件	測定方法
1, 4 －ジオキサン	検液1Lにつき0.05mg以下であること。	昭和46年12月環境庁告示第59号付表8に掲げる方法

備考

1　環境上の条件のうち検液中濃度に係るものにあっては付表に定める方法により検液を作成し、これを用いて測定を行うものとする。

2　カドミウム、鉛、六価クロム、砒（ひ）素、総水銀、セレン、ふっ素及びほう素に係る環境上の条件のうち検液中濃度に係る値にあっては、汚染土壌が地下水面から離れており、かつ、原状において当該地下水中のこれらの物質の濃度がそれぞれ地下水1Lにつき0.003mg、0.01mg、0.05mg、0.01mg、0.0005mg、0.01mg、0.8mg及び1mgを超えていない場合には、それぞれ検液1Lにつき0.009mg、0.03mg、0.15mg、0.03mg、0.0015mg、0.03mg、2.4mg及び3mgとする。

3　「検液中に検出されないこと」とは、測定方法の欄に掲げる方法により測定した場合において、その結果が当該方法の定量限界を下回ることをいう。

4　有機燐（りん）とは、パラチオン、メチルパラチオン、メチルジメトン及びEPNをいう。

5　1, 2 －ジクロロエチレンの濃度は、日本産業規格 K 0125の5.1、5.2又は5.3.2より測定されたシス体の濃度と日本産業規格 K 0125の5.1、5.2又は5.3.1により測定されたトランス体の濃度の和とする。

付表

検液は、次の方法により作成するものとする。

1　カドミウム、全シアン、鉛、六価クロム、砒（ひ）素、総水銀、アルキル水銀、PCB及びセレンについては、次の方法による。

(1)　採取した土壌の取扱い

採取した土壌はガラス製容器又は測定の対象とする物質が吸着しない容器に収める。試験は土壌採取後直ちに行う。試験を直ちに行えない場合には、暗所に保存し、できるだけ速やかに試験を行う。

(2)　試料の作成

採取した土壌を30℃を超えない温度で風乾し、中小礫、木片等を除き、土塊、団粒を粗砕(注1)した後、非金属製の2mmの目のふるいを通過させて得た土壌を十分混合する。

(3)　試料液の調製

試料（単位g）と溶媒（水（日本産業規格 K 0557に規定するA3又はA4のものをいう。以下同じ))（単位ml）とを重量体積比10％の割合で混合し、かつ、その混合液が500ml以上となるようにする。

(4)　溶出

調製した試料液を常温（おおむね20℃）常圧（おおむね1気圧）で振とう機（あらかじめ振とう回数を毎分約200回に、振とう幅を4cm以上5cm以下に調整したもの）を用いて、6時間連続して水平に振とうする。振とう容器は、溶媒の体積の2倍程度の容積を持つものを用いる。

(5)　検液の作成

(1)から(4)の操作を行って得られた試料液を10分から30分程度静置後、3,000重力加速度で20分間遠心分離した後の上澄み液を孔径0.45μmで直径90mmのメンブランフィルターで全量ろ過して(注2)ろ液を取り、定量に必要な量を正確に計り取って、これを検液とする。

(注1) 土粒子をすりつぶす等の過度な粉砕を行わないこと。

(注2) ろ過時間が30分以内の場合には、ろ紙の交換は行わず、30分を超える場合には、おおむね30分ごとにろ紙を交換すること。

2 ジクロロメタン、四塩化炭素、クロロエチレン、1, 2 ジクロロエタン、1, 1 ジクロロエチレン、1, 2 ジクロロエチレン、1, 1, 1 トリクロロエタン、1, 1, 2 トリクロロエタン、トリクロロエチレン、テトラクロロエチレン、1, 3 ジクロロプロペン、ベンゼン及び1, 4 ジオキサンについては、次の方法による。

(1) 採取した土壌の取扱い

これらの物質は揮発性が高いので、採取した土壌は密封できるガラス製容器又は測定の対象とする物質が吸着しない容器に空げきが残らないように収める。試験は土壌採取後直ちに行う。試験を直ちに行えない場合には、4℃以下の冷暗所に保存し、できるだけ速やかに試験を行う。ただし、1, 3 ジクロロプロペンに係る土壌にあっては、凍結保存するものとする。

(2) 試料の作成

採取した土壌からおおむね粒径5mmを超える中小礫、木片等を除く。

(3) 試料液の調製

あらかじめかくはん子を入れたねじ口付三角フラスコに試料（単位g）と溶媒（水）（単位ml）とを重量体積比10％の割合となるようにとり(注1)(注2)、速やかに密栓する。このとき、混合液が500ml以上となるようにし、かつ、混合液に対するねじ口付三角フラスコのヘッドスペースができるだけ少なくなるようにする。

(4) 溶出

調製した試料液を常温（おおむね20℃）常圧（おおむね1気圧）に保ちマグネチックスターラーで4時間連続してかくはんする(注3)。

(5) 検液の作成

(1)から(4)の操作を行って得られた試料液を10分から30分程度静置後、上澄み液を共栓付試験管に分取し、定量に必要な量を正確に計り取って、これを検液とする(注4)。

(注1) 使用するねじ口付三角フラスコに使用するかくはん子を入れ質量を測定する。これに水を満たして密栓し、その質量を測定する。前後の質量の差からねじ口付三角フラスコの空げき容量（単位ml）を求める。一度空げき容量を測定しておけば、同一容器及び同一かくはん子を用いることとすれば毎回測定する必要はなく、2回目以降はその空げき容量を用いてよい。

(注2) 試料1g当たりの体積（ml）を測定し、(注1)により求めた空げき容量からヘッドスペースを残さないように加える水の量を調整してもよい。

(注3) 試料と水が均一に混じってかくはんされるようマグネチックスターラーを調整すること。また、試料液が発熱しないようにすること。

(注4) 上澄み液の分取後測定までの操作中、測定の対象とする物質が損失しないように注意すること。

3　有機燐（りん）、チウラム、シマジン及びチオベンカルブについては、次の方法による。

(1)　採取した土壌の取扱い

採取した土壌はガラス製容器又は測定の対象とする物質が吸着しない容器に収める。試験は土壌採取後直ちに行う。試験を直ちに行えない場合には、凍結保存し、できるだけ速やかに試験を行う。

(2)　試料の作成

採取した土壌を30℃を超えない温度で風乾し、中小礫、木片等を除き、土塊、団粒を粗砕(注1)した後、非金属製の2mmの目のふるいを通過させて得た土壌を十分混合する。

(3)　試料液の調製

試料（単位g）と溶媒（水）（単位ml）とを重量体積比10％の割合で混合し、かつ、その混合液が1,000ml以上となるようにする。

(4)　溶出

調製した試料液を常温（おおむね20℃）常圧（おおむね1気圧）で振とう機（あらかじめ振とう回数を毎分約200回に、振とう幅を4cm以上5cm以下に調整したもの）を用いて、6時間連続して水平に振とうする。振とう容器は、溶媒の体積の2倍程度の容積を持つものを用いる。

(5)　検液の作成

(1)から(4)の操作を行って得られた試料液を10分から30分程度静置後、3,000重力加速度で20分間遠心分離した後の上澄み液を孔径0.45μmで直径90mmのメンブランフィルターで全量ろ過して(注2)ろ液を取り、定量に必要な量を正確に計り取って、これを検液とする。

（注1）土粒子をすりつぶす等の過度な粉砕を行わないこと。

（注2）ろ過時間が30分以内の場合には、ろ紙の交換は行わず、30分を超える場合には、おおむね30分ごとにろ紙を交換すること。

4　ふっ素及びほう素については、次の方法による。

(1)　採取した土壌の取扱い

採取した土壌はポリエチレン製容器又は測定の対象とする物質が吸着若しくは溶出しない容器に収める。試験は土壌採取後直ちに行う。試験を直ちに行えない場合には、暗所に保存し、できるだけ速やかに試験を行う。

(2)　試料の作成

採取した土壌を30℃を超えない温度で風乾し、中小礫、木片等を除き、土塊、団粒を粗砕(注1)した後、非金属製の2mmの目のふるいを通過させて得た土壌を十分混合する。

(3)　試料液の調製

試料（単位g）と溶媒（水）（単位ml）とを重量体積比10％の割合で混合し、かつ、その混合液が500ml以上となるようにする。

⑷ 溶出

調製した試料液を常温（おおむね20℃）常圧（おおむね1気圧）で振とう機（あらかじめ振とう回数を毎分約200回に、振とう幅を4cm以上5cm以下に調整したもの）を用いて、6時間連続して水平に振とうする。振とう容器は、ポリエチレン製容器又は測定の対象とする物質が吸着若しくは溶出しない容器で溶媒の体積の2倍程度の容積を持つものを用いる。

⑸ 検液の作成

⑴から⑷の操作を行って得られた試料液を10分から30分程度静置後、3,000重力加速度で20分間遠心分離した後の上澄み液を孔径0.45 μmで直径90mmのメンブランフィルターで全量ろ過して(注2)ろ液を取り、定量に必要な量を正確に計り取って、これを検液とする。

(注1) 土粒子をすりつぶす等の過度な粉砕を行わないこと。

(注2) ろ過時間が30分以内の場合には、ろ紙の交換は行わず、30分を超える場合には、おおむね30分ごとにろ紙を交換すること。

2-6 土壌汚染対策法に基づく特定有害物質の汚染状態に関する調査と基準

2-6-1 土壌汚染状況に関する調査（ガイドライン※ 1.5参照）

土壌汚染による環境リスクの管理の前提として、土壌汚染に係る土地を的確に把握する必要がある。土壌の特定有害物質による汚染状況の調査の流れを示す。

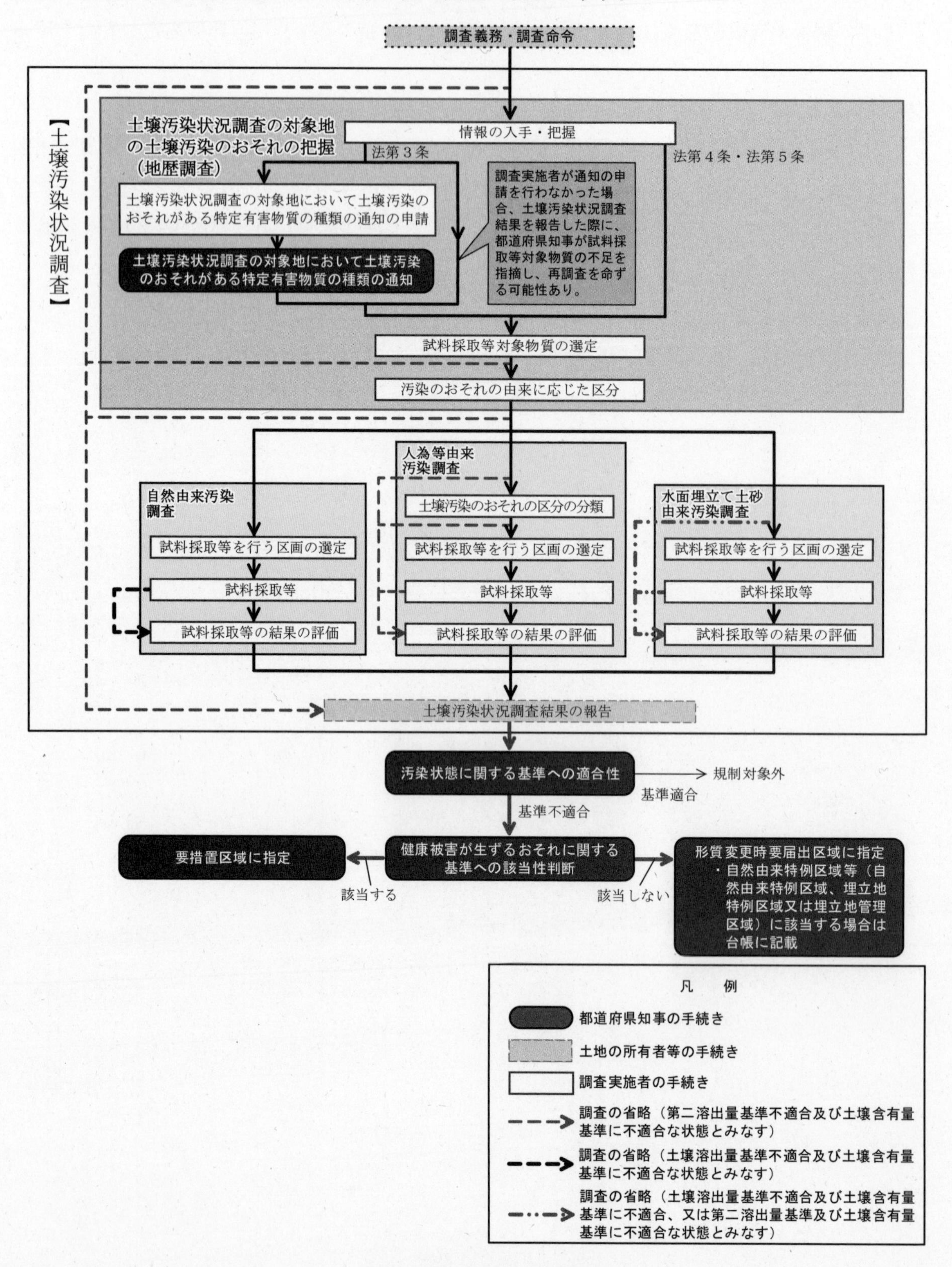

図　土壌汚染状況の流れ

※「土壌汚染対策法ガイドライン　第１編：土壌汚染対策法に基づく調査及び措置に関するガイドライン（改訂第3.1版）令和４年８月」（環境省 水・大気環境局 水環境課土壌環境室）

2-6-2　汚染状態に関する基準

2-6-2-1　要措置区域の指定に係る土壌溶出量基準及び土壌含有量基準等（ガイドライン 1.4.1 参照）

(1)　要措置区域の指定基準のうち汚染状態に関する基準（土壌汚染対策法第６条第１項第１号）として、土壌溶出量基準及び土壌含有量基準が下表に示すとおり定められている（同法施行規則第 31 条第１項及び第２項並びに別表第４及び別表第５）。

(2)　土壌溶出量基準は 26 種の全ての特定有害物質について、土壌含有量基準は第二種特定有害物質９物質について、それぞれ定められている。なお、土壌溶出量基準は、現行の土壌環境基準のうち溶出量に係るものと同じ数値となっている（通知※の記の第４の１(2)）。

(3)　また、各特定有害物質について、地下水基準も下表に示すとおり定められている（同法施行規則第７条第１項及び別表第２）。

(4)　このほか、汚染の除去等の措置を選択する際に使用する土壌溶出量の程度を表す指標として、第二溶出量基準が下表に示すとおり定められている（同法施行規則第９条第１項第２号及び別表第３）。

(5)　土壌溶出量基準又は土壌含有量基準に適合しない汚染状態にある土壌、すなわち、汚染状態に関する基準に適合しない土壌のことを「基準不適合土壌」という（同法施行規則第３条の２第１号）。

※土壌汚染対策法の一部を改正する法律による改正後の土壌汚染対策法の施行について（令和４年３月 24 日環水大土発第 2202212 号）

表　要措置区域の指定に係る基準（汚染状態に関する基準）、地下水基準及び第二溶出量基準

分類	特定有害物質の種類	土壌溶出量基準 (mg/L)	土壌含有量基準 (mg/kg)	地下水基準 (mg/L)	第二溶出量基準 (mg/L)
第一種特定有害物質	クロロエチレン	0.002 以下		0.002 以下	0.02 以下
	四塩化炭素	0.002 以下	−	0.002 以下	0.02 以下
	1, 2 − ジクロロエタン	0.004 以下	−	0.004 以下	0.04 以下
	1, 1 − ジクロロエチレン	0.1 以下	−	0.1 以下	1 以下
	1, 2 − ジクロロエチレン	0.04 以下	−	0.04 以下	0.4 以下
	1, 3 − ジクロロプロペン	0.002 以下	−	0.002 以下	0.02 以下
	ジクロロメタン	0.02 以下	−	0.02 以下	0.2 以下
	テトラクロロエチレン	0.01 以下	−	0.01 以下	0.1 以下
	1, 1, 1 − トリクロロエタン	1 以下	−	1 以下	3 以下
	1, 1, 2 − トリクロロエタン	0.006 以下	−	0.006 以下	0.06 以下
	トリクロロエチレン	0.01 以下	−	0.01 以下	0.1 以下
	ベンゼン	0.01 以下	−	0.01 以下	0.1 以下

分類	特定有害物質の種類	土壌溶出量基準 (mg/L)	土壌含有量基準 (mg/kg)	地下水基準 (mg/L)	第二溶出量基準 (mg/L)
第二種特定有害物質	カドミウム及びその化合物	0.003以下	45以下	0.003以下	0.09以下
	六価クロム化合物	0.05以下	250以下	0.05以下	1.5以下
	シアン化合物	検出されないこと	50以下 (遊離シアンとして)	検出されないこと	1.0以下
	水銀及びその化合物	水銀が0.0005以下、かつ、アルキル水銀が検出されないこと	15以下	水銀が0.0005以下、かつ、アルキル水銀が検出されないこと	水銀が0.005以下、かつ、アルキル水銀が検出されないこと
	セレン及びその化合物	0.01以下	150以下	0.01以下	0.3以下
	鉛及びその化合物	0.01以下	150以下	0.01以下	0.3以下
	砒素及びその化合物	0.01以下	150以下	0.01以下	0.3以下
	ふっ素及びその化合物	0.8以下	4,000以下	0.8以下	24以下
	ほう素及びその化合物	1以下	4,000以下	1以下	30以下
第三種特定有害物質	シマジン	0.003以下	−	0.003以下	0.03以下
	チオベンカルブ	0.02以下	−	0.02以下	0.2以下
	チウラム	0.006以下	−	0.006以下	0.06以下
	ポリ塩化ビフェニル	検出されないこと	−	検出されないこと	0.003以下
	有機りん化合物	検出されないこと	−	検出されないこと	1以下

2-6-2-2　土壌溶出量調査に係る測定方法を定める件

平成 15 年 3 月　環境省告示第 18 号

最終改正　令和 2 年 4 月　環境省告示第 46 号

土壌溶出量調査に係る測定方法を定める件

土壌汚染対策法施行規則第 6 条第 3 項第 4 号の環境大臣が定める土壌溶出量調査に係る測定方法は、別表の特定有害物質の種類の欄に掲げる特定有害物質について平成 3 年 8 月環境庁告示第 46 号（土壌の汚染に係る環境基準について）付表に掲げる方法※により作成した検液ごとに、別表の測定方法の欄に掲げるとおりとする。

※土壌の汚染に係る環境基準について（平成 3 年 8 月環境庁告示第 46 号）付表（参考資料 2 2-5 参照）

別表

特定有害物質の種類	測定方法
カドミウム及びその化合物	日本産業規格（以下「規格」という。）K 0102 の 55.2、55.3 又は 55.4 に定める方法
六価クロム化合物	規格 K 0102 の 65.2（規格 K0102 の 65.2.7 を除く。）に定める方法（ただし、規格 K 0102 の 65.2.6 に定める方法により塩分の濃度の高い試料を測定する場合にあっては、規格 K 0170-7 の 7 の a) 又は b) に定める操作を行うものとする。）
クロロエチレン	平成 9 年 3 月環境庁告示第 10 号（地下水の水質汚濁に係る環境基準について）付表に掲げる方法
シマジン	昭和 46 年 12 月環境庁告示第 59 号（水質汚濁に係る環境基準について）（以下「水質環境基準告示」という。）付表 6 の第 1 又は第 2 に掲げる方法
シアン化合物	規格 K 0102 の 38 に定める方法（規格 K 0102 の 38.1.1 及び 38 の備考 11 に定める方法を除く。）又は水質環境基準告示付表 1 に掲げる方法
チオベンカルブ	水質環境基準告示付表 6 の第 1 又は第 2 に掲げる方法
四塩化炭素	規格 K 0125 の 5.1、5.2、5.3.1、5.4.1 又は 5.5 に定める方法
1, 2 －ジクロロエタン	規格 K 0125 の 5.1、5.2、5.3.1 又は 5.3.2 に定める方法
1, 1 －ジクロロエチレン	規格 K 0125 の 5.1、5.2 又は 5.3.2 に定める方法
1, 2 －ジクロロエチレン	シス体にあっては規格 K 0125 の 5.1、5.2 又は 5.3.2 に定める方法、トランス体にあっては規格 K 0125 の 5.1、5.2 又は 5.3.1 に定める方法
1, 3 －ジクロロプロペン	規格 K 0125 の 5.1、5.2 又は 5.3.1 に定める方法
ジクロロメタン	規格 K 0125 の 5.1、5.2 又は 5.3.2 に定める方法
水銀及びその化合物	水銀にあっては水質環境基準告示付表 2 に掲げる方法、アルキル水銀にあっては水質環境基準告示付表 3 に掲げる方法及び昭和 49 年 9 月環境庁告示第 64 号（環境大臣が定める排水基準に係る検定方法）（以下「排出基準検定告示」という。）付表 3 に掲げる方法

特定有害物質の種類	測定方法
セレン及びその化合物	規格 K 0102の67.2、67.3又は67.4に定める方法
テトラクロロエチレン	規格 K 0125の5.1、5.2、5.3.1、5.4.1又は5.5に定める方法
チウラム	水質環境基準告示付表5に掲げる方法
1,1,1－トリクロロエタン	規格 K 0125の5.1、5.2、5.3.1、5.4.1又は5.5に定める方法
1,1,2－トリクロロエタン	規格 K 0125の5.1、5.2、5.3.1、5.4.1又は5.5に定める方法
トリクロロエチレン	規格 K 0125の5.1、5.2、5.3.1、5.4.1又は5.5に定める方法
鉛及びその化合物	規格 K 0102の54に定める方法
砒素及びその化合物	規格 K 0102の61に定める方法
ふっ素及びその化合物	規格 K 0102の34.1（規格 K 0102の34の備考1を除く。）若しくは34.4（妨害となる物質としてハロゲン化合物又はハロゲン化水素が多量に含まれる試料を測定する場合にあっては、蒸留試薬溶液として、水約200mlに硫酸10ml、りん酸60ml及び塩化ナトリウム10gを溶かした溶液とグリセリン250mlを混合し、水を加えて1,000mlとしたものを用い、規格 K 0170-6の6 図2 注記のアルミニウム溶液のラインを追加する。）に定める方法又は規格 K 0102の34.1.1 c）（注(2)第3文及び規格 K 0102の34の備考1を除く。）に定める方法（懸濁物質及びイオンクロマトグラフ法で妨害となる物質が共存しないことを確認した場合にあっては、これを省略することができる。）及び水質環境基準告示付表7に掲げる方法
ベンゼン	規格 K 0125の5.1、5.2又は5.3.2に定める方法
ほう素及びその化合物	規格 K 0102の47.1、47.3又は47.4に定める方法
ポリ塩化ビフェニル	水質環境基準告示付表4に掲げる方法
有機りん化合物（パラチオン、メチルパラチオン、メチルジメトン及びEPNに限る。）	排出基準検定告示付表1に掲げる方法又は規格 K 0102の31.1に定める方法のうちガスクロマトグラフ法以外のもの（メチルジメトンにあっては、排出基準検定告示付表2に掲げる方法）

2-6-2-3　土壌含有量調査に係る測定方法を定める件

平成15年3月　環境省告示第19号
最終改正　令和 2 年3月　環境省告示第35号

土壌含有量調査に係る測定方法を定める件

土壌汚染対策法施行規則第6条第4項第2号の環境大臣が定める土壌含有量調査に係る測定方法は、次のとおりとする。

1　別表の特定有害物質の種類の欄に掲げる特定有害物質について付表に掲げる方法により作成した検液ごとに、別表の測定方法の欄に掲げる方法により試料採取等対象物質の量を測定すること。

2　付表の2により作成した試料の重量とこれを摂氏105度で約4時間乾燥して得たものの重量とを比べて当該試料に含まれる水分の量を測定し、1により測定された試料採取等対象物質の量を当該乾燥して得たもの1キログラムに含まれる量に換算すること。

別表

特定有害物質の種類	測定方法
カドミウム及びその化合物	日本産業規格 K 0102（以下「規格」という。）55に定める方法（準備操作にあっては、規格52の備考6に定める方法を除く。）
六価クロム化合物	規格65.2（規格65.2.7を除く。）に定める方法（ただし、規格65.2.6に定める方法により塩分の濃度の高い試料を測定する場合にあっては、日本産業規格 K 0170-7の7のa)又はb)に定める操作を行なうものとする。）
シアン化合物	規格38に定める方法（規格38.1及び38の備考11に定める方法を除く。）
水銀及びその化合物	昭和46年12月環境庁告示59号（水質汚濁に係る環境基準について）（以下「水質環境基準告示」という。）付表2に掲げる方法
セレン及びその化合物	規格67.2、67.3又は67.4に定める方法
鉛及びその化合物	規格54に定める方法（準備操作にあっては、規格52の備考6に定める方法を除く。）
砒素及びその化合物	規格61に定める方法
ふっ素及びその化合物	規格34.1（規格34の備考1を除く。）若しくは34.4（妨害となる物質としてハロゲン化合物又はハロゲン化水素が多量に含まれる試料を測定する場合にあっては、蒸留試薬溶液として、水約200mlに硫酸10ml、りん酸60ml及び塩化ナトリウム10gを溶かした溶液とグリセリン250mlを混合し、水を加えて1,000mlとしたものを用い、日本産業規格 K 0170-6の6 図2 注記のアルミニウム溶液のラインを追加する。）に定める方法又は規格34.1.1 c)（注(2)第3文及び規格34の備考1を除く。）に定める方法及び水質環境基準告示付表7に掲げる方法
ほう素及びその化合物	規格47.1、47.3又は47.4に定める方法

付表

検液は、以下の方法により作成するものとする。

1　採取した土壌の取扱い

採取した土壌はポリエチレン製容器又は測定の対象とする物質が吸着若しくは溶出しない容器に収める。試験は土壌採取後直ちに行う。試験を直ちに行えない場合には、暗所に保存し、できるだけ速やかに試験を行う。

2　試料の作成

採取した土壌を30℃を超えない温度で風乾し、中小礫、木片等を除き、土塊、団粒を粗砕(注1)した後、非金属製の2mmの目のふるいを通過させて得た土壌を十分混合する。

3　検液の作成

⑴　カドミウム及びその化合物、水銀及びその化合物、セレン及びその化合物、鉛及びその化合物、砒素及びその化合物、ふっ素及びその化合物及びほう素及びその化合物については、次の方法による。

ア　試料液の調製

試料6g以上を量り採り、試料（単位g）と溶媒（水（日本産業規格K 0557に規定するA3又はA4のものをいう。以下同じ。）に塩酸を加え塩酸が1mol/lとなるようにしたもの）（単位ml）とを重量体積比3％の割合で混合する。

イ　溶出

調製した試料液を室温（おおむね25℃）常圧（おおむね1気圧）で振とう機（あらかじめ振とう回数を毎分約200回に、振とう幅を4cm以上5cm以下に調整したもの）を用いて、2時間連続して水平に振とうする。振とう容器は、ポリエチレン製容器又は測定の対象とする物質が吸着若しくは溶出しない容器であって、溶媒の1.5倍以上の容積を持つものを用いる。

ウ　検液の作成

イの振とうにより得られた試料液を10分から30分程度静置後、必要に応じ遠心分離し、上澄み液を孔径0.45μmのメンブランフィルターでろ過してろ液を採り、定量に必要な量を正確に量り採って、これを検液とする。

⑵　六価クロム化合物については、次の方法による。

ア　試料液の調製

試料6g以上を量り採り、試料（単位g）と溶媒（純水に炭酸ナトリウム0.005mol（炭酸ナトリウム（無水物）0.53g）及び炭酸水素ナトリウム0.01mol（炭酸水素ナトリウム0.84g）を溶解して1lとしたもの）（単位ml）とを重量体積比3％の割合で混合する。

イ　溶出

調製した試料液を室温（おおむね25℃）常圧（おおむね1気圧）で振とう機（あらかじめ振とう回数を毎分約200回に、振とう幅を4cm以上5cm以下に調整したもの）を用いて、2時間連続して水平に振とうする。振とう容器は、ポリエチレン製容器又は測定の対象とする物質が吸着若しくは溶出しない容器であって、溶媒の1.5倍以上の容積を持つものを用いる。

ウ　検液の作成

イの振とうにより得られた試料液を10分から30分程度静置後、必要に応じ遠心分離し、上澄み液を孔径0.45μmのメンブランフィルターでろ過してろ液を採り、定量に必要な量を正確に量り採って、これを検液とする。

(3) シアン化合物については、次の方法による。

ア　試料5～10gを蒸留フラスコに量り採り、水250mlを加える。

イ　指示薬としてフェノールフタレイン溶液（5g/l；フェノールフタレイン0.5gをエタノール（95％）50mlに溶かし、水を加えて100mlとしたもの）数滴を加える。アルカリの場合は、溶液の赤い色が消えるまで硫酸（1+35）で中和する。

ウ　酢酸亜鉛溶液（100g/l；酢酸亜鉛（二水塩）100gを水に溶かして1lとしたもの）20mlを加える。

エ　蒸留フラスコを蒸留装置に接続する。受器には共栓メスシリンダー250mlを用い、これに水酸化ナトリウム溶液（20g/l）30mlを入れ、冷却管の先端を受液中に浸す。なお、蒸留装置の一例は別図のとおりである。

オ　蒸留フラスコに硫酸（1+35）10mlを加える。

カ　数分間放置した後蒸留フラスコを加熱し、留出速度2～3ml/分で蒸留する(注2)。受器の液量が約180mlになったら、冷却管の先端を留出液から離して蒸留を止める。冷却管の内外を少量の水で洗い、洗液は留出液と合わせる。

キ　フェノールフタレイン溶液（5g/l）2～3滴を加え、開栓中にシアン化物イオンがシアン化水素となって揮散しないよう手早く酢酸（1+9）で中和し、水を加えて250mlとし、これを検液とする(注3)。

(注1) 土粒子をすりつぶす等の過度な粉砕を行わないこと。

(注2) 留出速度が速いとシアン化水素が完全に留出しないので、3ml/分以上にしない。また、蒸留中、冷却管の先端は常に液面下15mmに保つようにする。

(注3) 留出液中に硫化物イオンが共存すると、ピリジン－ピラゾロン法等の吸光光度法で負の誤差を生ずるので、硫化物の多い試料については、酢酸亜鉛アンモニア溶液（酢酸亜鉛二水和物12gに濃アンモニア水35mlを加え、さらに水を加えて100mlとしたもの）10mlを加えて沈殿除去する。

別図（略）

平成15年3月　環境省告示第17号
最終改正　令和 2 年4月　環境省告示第45号

地下水に含まれる試料採取等対象物質の量の測定方法を定める件

土壌汚染対策法施行規則第6条第2項第2号の環境大臣が定める地下水に含まれる試料採取等対象物質の量の測定方法は、別表の特定有害物質の種類の欄に掲げる特定有害物質の種類ごとに同表の測定方法の欄に掲げるとおりとする。

別表

特定有害物質の種類	測定方法
カドミウム及びその化合物	日本産業規格（以下「規格」という。）K 0102の55.2、55.3又は55.4に定める方法
六価クロム化合物	規格K 0102の65.2（規格K 0102の65.2.7を除く。）（ただし、規格K 0102の65.2.6に定める方法により塩分の濃度の高い試料を測定する場合にあっては、規格K 0170-7の7のa)又はb)に定める操作を行なうものとする。）
クロロエチレン	平成9年3月環境庁告示第10号（地下水の水質汚濁に係る環境基準について）付表に掲げる方法
シマジン	昭和46年12月環境庁告示第59号（水質汚濁に係る環境基準について）（以下「水質環境基準告示」という。）付表6の第1又は第2に掲げる方法
シアン化合物	規格K 0102の38.1.2（規格K 0102の38の備考11を除く。以下同じ。）及び38.2に定める方法、規格K 0102の38.1.2及び38.3に定める方法、規格K 0102の38.1.2及び38.5に定める方法又は水質環境基準告示付表1に掲げる方法
チオベンカルブ	水質環境基準告示付表6の第1又は第2に掲げる方法
四塩化炭素	規格K 0125の5.1、5.2、5.3.1、5.4.1又は5.5に定める方法
1, 2－ジクロロエタン	規格K 0125の5.1、5.2、5.3.1又は5.3.2に定める方法
1, 1－ジクロロエチレン	規格K 0125の5.1、5.2又は5.3.2に定める方法
1, 2－ジクロロエチレン	シス体にあっては規格K 0125の5.1、5.2又は5.3.2に定める方法、トランス体にあっては規格K 0125の5.1、5.2又は5.3.1に定める方法
1, 3－ジクロロプロペン	規格K 0125の5.1、5.2又は5.3.1に定める方法
ジクロロメタン	規格K 0125の5.1、5.2又は5.3.2に定める方法
水銀及びその化合物	水銀にあっては水質環境基準告示付表2に掲げる方法、アルキル水銀にあっては水質環境基準告示付表3に掲げる方法
セレン及びその化合物	規格K 0102の67.2、67.3又は67.4に定める方法
テトラクロロエチレン	規格K 0125の5.1、5.2、5.3.1、5.4.1又は5.5に定める方法

特定有害物質の種類	測定方法
チウラム	水質環境基準告示付表5に掲げる方法
1, 1, 1－トリクロロエタン	規格 K 0125の5.1、5.2、5.3.1、5.4.1又は5.5に定める方法
1, 1, 2－トリクロロエタン	規格 K 0125の5.1、5.2、5.3.1、5.4.1又は5.5に定める方法
トリクロロエチレン	規格 K 0125の5.1、5.2、5.3.1、5.4.1又は5.5に定める方法
鉛及びその化合物	規格 K 0102の54に定める方法
砒素及びその化合物	規格 K 0102の61.2、61.3又は61.4に定める方法
ふっ素及びその化合物	規格 K 0102の34.1（規格 K 0102の34の備考1を除く。）若しくは34.4（妨害となる物質としてハロゲン化合物又はハロゲン化水素が多量に含まれる試料を測定する場合にあっては、蒸留試薬溶液として、水約200mlに硫酸10ml、りん酸60ml及び塩化ナトリウム10gを溶かした溶液とグリセリン250mlを混合し、水を加えて1,000mlとしたものを用い、日本産業規格 K 0170-6の6 図2 注記のアルミニウム溶液のラインを追加する。）に定める方法又は規格 K 0102の34.1.1 c)（注(2)第3文及び規格 K 0102の34の備考1を除く。）に定める方法（懸濁物質及びイオンクロマトグラフ法で妨害となる物質が共存しないことを確認した場合にあっては、これを省略することができる。）及び水質環境基準告示付表7に掲げる方法
ベンゼン	規格 K 0125の5.1、5.2又は5.3.2に定める方法
ほう素及びその化合物	規格 K 0102の47.1、47.3又は47.4に定める方法
ポリ塩化ビフェニル	水質環境基準告示付表4に掲げる方法
有機りん化合物（パラチオン、メチルパラチオン、メチルジメトン及びEPNに限る。）	昭和49年9月環境庁告示第64号（環境大臣が定める排水基準に係る検定方法）付表1に掲げる方法

2-7 地質・土質調査成果電子納品

地質・土質調査成果電子納品要領（抜粋）

平成28年10月　国土交通省

第1編　一般編

1　適用

「地質・土質調査成果電子納品要領」（以下、「本要領」という）は、地質・土質調査及び土木工事において、地質・土質調査の電子成果品を作成及び納品する際に適用する。

2　引用規格

本要領では、次の規格、要領、基準などを引用し、本要領の規定の一部を構成する。引用する規格、要領、基準などは、その最新版を適用する。

- 地質・土質調査共通仕様書：国土交通省各地方整備局
- 設計業務等共通仕様書：国土交通省各地方整備局
- 土木工事共通仕様書：国土交通省各地方整備局
- 土木設計業務等の電子納品要領：国土交通省
- 工事完成図書の電子納品等要領：国土交通省
- CAD製図基準：国土交通省
- デジタル写真管理情報基準：国土交通省
- JIS A 0204：2012（地質図－記号，色，模様，用語及び凡例表示）
- JIS A 0205：2012（ベクトル数値地質図－品質要求事項及び主題属性コード）
- JIS A 0206：2013（地質図－工学地質図に用いる記号，色，模様，用語及び地層・岩体区分の表示とコード群）
- ボーリング柱状図作成及びボーリングコア取扱い・保管要領（案）・同解説　平成27年6月：一般社団法人全国地質調査業協会連合会、社会基盤情報標準化委員会
- 地盤材料試験の方法と解説：(社)地盤工学会
- 地盤調査の方法と解説：(社)地盤工学会

3　地質・土質調査成果の電子化対象

地質・土質調査成果の電子化対象は、(1) 報告文、(2) ボーリング柱状図、(3) 地質平面図、(4) 地質断面図、(5) ボーリングコア写真、(6) 土質試験及び地盤調査、(7) 現場写真、(8) その他の地質・土質調査成果とする。

4　フォルダ構成

電子的手段により引き渡される地質・土質調査成果は、図4-1に示すフォルダ構成とする。

地質・土質調査成果を格納する「BORING」フォルダには、地質情報管理ファイルを格納する。

管理ファイルを規定するDTD及びXSLファイルも併せて格納する。ただし、XSLファイルの格納は任意とする。

「BORING」フォルダの下には、「DATA」、「LOG」、「DRA」、「PIC」、「TEST」、及び「OTHRS」サブフォルダを作成する。格納する電子データがないフォルダは作成しなくてもよい。

各サブフォルダに格納するファイルは、次による。

- 「DATA」サブフォルダには、本要領「第２編　ボーリング柱状図編」で規定するボーリング交換用データを格納する。
- 「LOG」サブフォルダには、本要領「第２編　ボーリング柱状図編」で規定する電子柱状図を格納する。
- 「DRA」サブフォルダには、本要領「第２編　ボーリング柱状図編」で規定する電子簡略柱状図を格納する。
- 「PIC」サブフォルダには、本要領「第５編　ボーリングコア写真編」で規定するボーリングコア写真の電子成果品を格納する。
- 「TEST」サブフォルダには、本要領「第６編　土質試験及び地盤調査編」で規定する土質試験及び地盤調査の電子成果品を格納する。
- 「OTHRS」サブフォルダには、その他の地質・土質調査成果を格納する。「OTHRS」サブフォルダに格納する電子成果品は、「第７編　その他の地質・土質調査成果編」で定める。

フォルダ作成に当たっては、次に留意する。

- フォルダ名称は、半角英数大文字とする。

第２編　ボーリング柱状図編　（略）

第３編　地質平面図編　（略）

第４編　地質断面図編　（略）

第５編　ボーリングコア写真編　（略）

第６編　土質試験及び地盤調査編　（略）

第７編　その他の地質・土質調査成果編　（略）

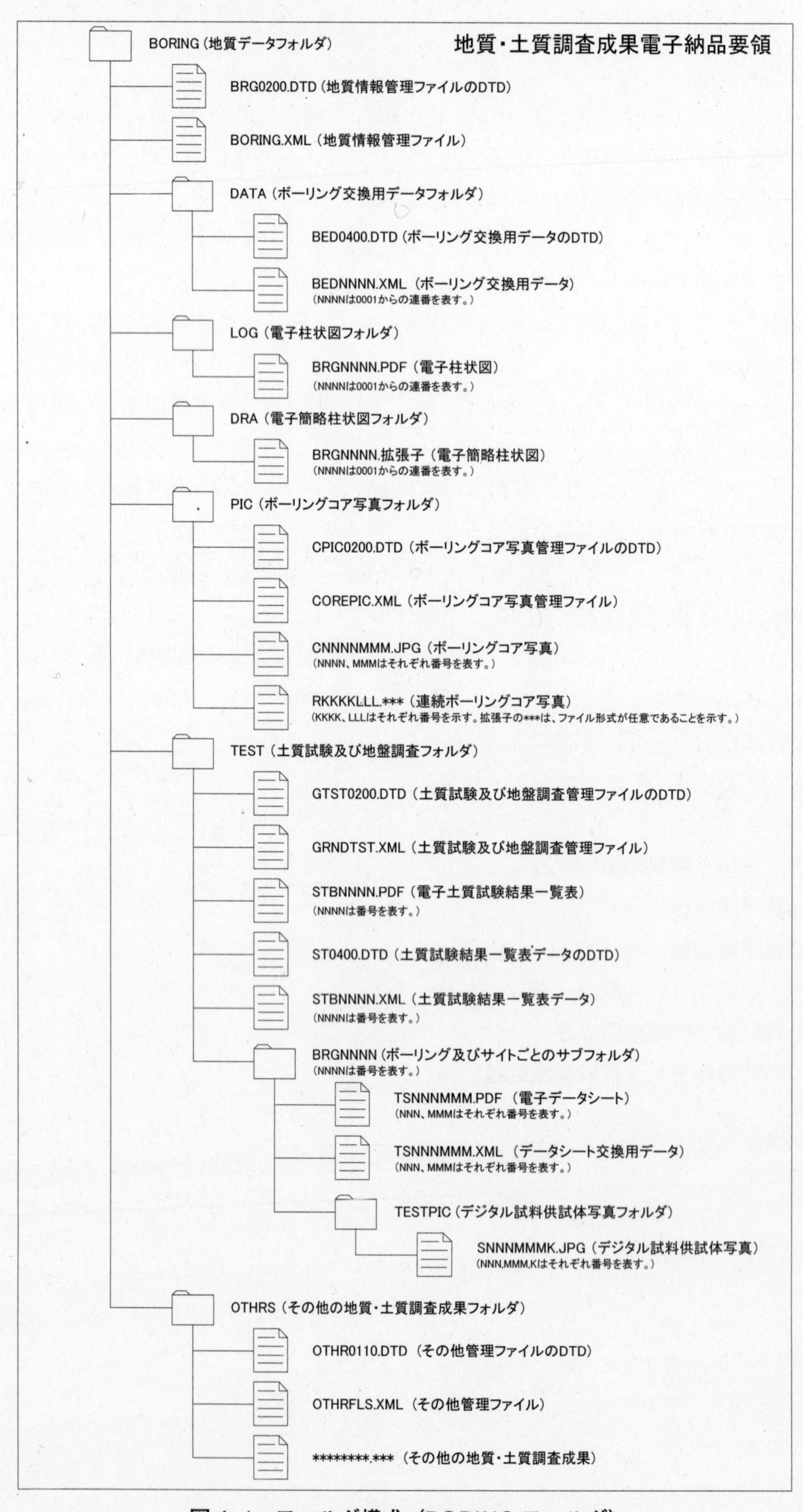

図 4-1　フォルダ構成（BORING フォルダ）

2-8 地盤情報の検定

1．概要

地盤情報データベースに登録するために、検定に関する技術を有する「第三者機関」が地質・土質調査で得られる 地盤情報の成果の内容を確認する制度である。

現在（令和4年11月)、(一財)国土地盤情報センターが、国土交通省から「第三者機関」として認定されており、国の行政機関、地方公共団体と協定を締結して検定を行っている。

2．検定対象となる地盤情報

(1) 以下の電子成果品が検定の対象となる

・ボーリング柱状図

・土質試験結果一覧表

(2) 電子成果品作成の際に適用する電子納品要領は以下のとおり

・地質・土質調査成果電子納品要領　平成28年10月　国土交通省

・地質・土質調査成果電子納品要領（案）　平成20年12月　国土交通省

・地質・土質調査成果電子納品要領（案）　平成31年 3 月　農林水産省

3．主な検定内容

(1) ボーリング柱状図（ボーリング交換用データ、電子柱状図）

① ボーリング数量の確認

② 該当資格者名及び登録番号の確認

③ 標題情報（調査名、発注機関など）の確認

④ 緯度経度、座標系の確認

⑤ 岩種・土質区分、記事、試験結果などの確認

(2) 土質試験結果一覧表（土質試験結果一覧表データ、電子土質試験結果一覧表）

① 土質試験結果の試験数量の確認

② 標題情報（調査名、発注機関など）の確認

③ 土質試験結果の確認

参照：(一財)国土地盤情報センターホームページ（https://ngic.or.jp/）

参考資料3

事 前 調 査

3－1 事前調査項目の例

3－2 公的機関等が公開又は提供している地盤情報データベースの例

3－3 設計のためのボーリング調査及び施工性確認のための調査深さの目安例

3－4 ハザードマップポータルサイト

3－5 地形図・空中写真

3-1 事前調査項目の例

敷地調査における事前調査に関する項目の一例を次に示す。

(1) 地盤情報に関する資料調査（地盤情報データベース(3-2)、地盤調査深さの目安(3-3) 等）

(2) 地質や地盤に起因する災害に関する資料調査（ハザードマップ(3-4)等）

(3) 地盤環境に関する事前調査（地盤環境振動、土壌汚染(参考資料 2 の 2-6 参照)等）

(4) 土地利用に関する事前調査（地形図・空中写真(3-5)、住宅地図、登記簿等）

(5) 現地調査

3-2 公的機関等が公開又は提供している地盤情報データベースの例

(一社)公共建築協会調べ（令和 4 年 11 月時点）

名　称	運営機関	地盤情報
国土地盤情報検索サイト KuniJiban	国土交通省、(国研)土木研究所及び(国研)港湾空港技術研究所が共同で運営し、(国研)土木研究所が管理	国土交通省の道路・河川・港湾事業等の地質・土質調査成果であるボーリング柱状図や土質試験結果等の地盤情報
国土地盤情報データベース	(一財)国土地盤情報センター	国土地盤情報公開サイト（Kunijiban）で公開されている地盤情報、公開に同意している 15 の地方公共団体の地盤情報（未検定も含む）
ジオ・ステーション（Geo-Station）	(国研)防災科学技術研究所	(国研)防災科学技術研究所、(国研)産業技術総合研究所、(国研)土木研究所、(公社)地盤工学会及び 16 の地方公共団体等が所有する地下構造データ（ボーリングデータ、模式柱状図モデル、メタデータ、地盤モデル図）の情報
関西圏地盤情報データベース	関西圏地盤情報ネットワーク	関西圏地盤情報協議会、関西圏地盤 DB 運営機構、関西圏地盤研究会が連携して収集する地盤モデル、基準ボーリング、地層断面図、地域の土質特性などの研究地盤情報

3-3 設計のためのボーリング調査及び施工性確認のための調査深さの目安例

<table>
<tr><th colspan="3">事　項</th><th>調査深さの目安</th></tr>
<tr><td rowspan="3">設計のためのボーリング</td><td rowspan="2">想定する基礎形式</td><td>直接基礎</td><td>・支持層として想定される地層が確認できる深さ
・以深に沈下の原因となる地層が現れることが想定される場合は、当該層の有無が確認できる深さ
・事前に地層構成の想定ができない場合は、べた基礎スラブ短辺長さの 2倍以上又は建物幅の1.5～2倍程度の深さ</td></tr>
<tr><td>杭基礎</td><td>・沖積層全層かつ支持層として想定される地層が5～10m以上確認できる深さ
・支持杭の場合は、杭先端深さより杭先端径の数倍（一般に2～3倍、採用予定の杭工法の先端支持力の評価方法や形状に留意して設定する必要がある。）の深さ
・以深に軟質な層が現れることが想定される場合は、当該層の有無が確認できる深さ</td></tr>
<tr><td colspan="2">地震応答解析を行う場合</td><td>・工学的基盤を5～10m確認できる深さ
・以深に軟質な層が現れることが想定される場合は、その下の工学的基盤同等の層が確認できる深さ</td></tr>
<tr><td rowspan="3">施工性確認</td><td colspan="2">山留め壁の設計</td><td>・根入れ深さの検討に必要な深さ
・根切り底以深の不透水層が確認できる深さ</td></tr>
<tr><td colspan="2">根切り底の安定性検討</td><td>（地下水位が根切り深さより上の場合・水位がわからない場合）
・地表面から根切り深さの3倍、根切り深さ＋根切り平面の短辺長さのいずれか大きい方の深さ</td></tr>
<tr><td colspan="2">揚水計画</td><td>・根切り底以深の不透水層の存在する深さ</td></tr>
</table>

参考文献：（一社）日本建築学会、建築基礎設計のための地盤調査計画指針 2009、pp24-26

3-4 ハザードマップポータルサイト

名　称	運営機関	公開情報
ハザードマップポータルサイト	国土交通省 国土地理院	①重ねるハザードマップ 災害リスク情報や防災に役立つ情報※を、全国どこでも重ねて閲覧できるWeb地図サイト ②わがまちハザードマップ 市町村が作成したハザードマップを見つけやすくまとめたリンク集

※洪水（想定最大規模）、土砂災害、高潮（想定最大規模）、津波（想定最大規模）、道路防災情報、地形分類

3-5 地形図・空中写真

名　称	運営機関	公開情報
地図・空中写真閲覧サービス	国土交通省 国土地理院	空中写真、地形図・地勢図、公共測量地図、国土基本図

参考資料4

地盤調査及び土質試験の種類と方法等

4-1 地盤調査の種類・方法及び調査事項

4-1-1 地盤調査の種類・方法及び調査事項

調査の種類と方法		適用又は参照する基準・規格・図書等	概　要	適用地盤又は適用土質	調査事項及び用途
(1)ボーリング					
①ロータリー式ボーリング	ノンコアボーリング		ロッド先端に取り付けたビットを回転させることにより地盤を破砕しながら掘削	土と岩のあらゆる地層に適用可能、ただし巨礫や玉石には不適	地盤構成の把握、サンプリング、サウンディング、地下水調査、物理探査・検層、載荷試験に利用
	コアボーリング		コアバーレルの先端に取り付けたビットを回転させることにより掘削、コア採取を行う	サンプラーの選定により土から岩まで適用可能、ただし礫と玉石の場合は不適	
②試掘			人力による掘削又はバックホウ等による掘削	土と岩のあらゆる地層、ただし崩壊性の地盤や地下水位以下の地盤は山留工が必要	地盤構成の把握、サンプリング、載荷試験に利用
(2)サンプリング					
①固定ピストン式シンウォールサンプラー	水圧式サンプラー	JGS 1221（固定式ピストン式シンウォールサンプラーによる土試料の採取方法）	ピストンを固定し、所定の長さのサンプリングチューブを地盤に連続的に差し込み、試料を採取	粘性土、砂質土	乱れの少ない土試料の採取
	エキステンションロッド式サンプラー			粘性土（軟質、中くらい）、砂質土（ゆるい）	
②ロータリー式二重管サンプラー		JGS 1222（ロータリー式二重管サンプラーによる土試料の採取方法）	外側の回転するアウターチューブで土を切削しながら、内側の回転しないサンプリングチューブを地盤に押し込み、試料を採取	粘性土（中くらい、硬質）	乱れの少ない土試料の採取
③ロータリー式三重管サンプラー		JGS 1223（ロータリー式三重管サンプラーによる土試料の採取方法）	アウターチューブ、インナーチューブ、ライナーの三重管からなるサンプラーで、外側の回転するアウターチューブで土を切削しながら、内側の回転しないインナーチューブを地盤に押し込み、インナーチューブの内部に装着したライナー内に試料を採取	粘性土（中くらい、硬質）、砂質土、砂礫（密な）	乱れの少ない土試料の採取
④ロータリー式スリーブ内臓二重管サンプラー		JGS 1224（ロータリー式スリーブ内臓二重管サンプラーによる土試料の採取方法）	折り畳んで装着した試料収納用の円筒状のスリーブをダブルチューブコアバレル（インナーチューブとアウターチューブの二重管式になっているコアバレル）に内蔵したサンプラーにより試料を採取	粘性土、砂質土、砂礫、岩盤	観察に供する土試料を連続的に採取
⑤ロータリー式チューブサンプリング		JGS 3211（ロータリー式チューブサンプリングによる軟岩試料の採取方法）	ロータリー式ボーリングを行うと同時に、ボーリングロッドの先端に取り付けたコアバレルを用いて試料を採取	粘性土（硬質）、軟岩、中軟岩、改良された又は人工的に固化された地盤材料	乱れの少ない土試料の採取
⑥ブロックサンプリング	切出し式ブロックサンプリング	JGS 1231（ブロックサンプリングによる土試料の採取方法）	試料を成形した後、試料収納容器を試料にかぶせ、手掘りにより塊状の土を地盤から切出し、試料を採取	粘性土、砂質土、砂礫（密な）、軟岩	乱れの少ない塊状の土試料の採取
	押切り式ブロックサンプリング		試料を成形しながら、試料収納容器に試料を取り込んで、手掘りにより塊状の土を地盤から切出し、試料を採取		
⑦凍結サンプリング		「地盤調査の方法と解説 2013」第5編サンプリング 8.3 砂質土のサンプリング	対象とする地盤に凍結管を挿入し、冷媒を用いて地盤を凍結させて一部又は全部を採取	砂質土、砂礫	乱れの少ない土試料の採取
⑧オープンドライブサンプラー			シンウォールチューブを用いて試料を採取	粘性土（軟質）	乱れた土試料の採取

調査の種類と方法		適用又は参照する基準・規格・図書等	概　要	適用地盤又は適用土質	調査事項及び用途
(3)原位置試験					
1）サウンディング					
①標準貫入試験		JIS A 1219（標準貫入試験方法）	標準貫入試験サンプラーを動的貫入することによって地盤の硬軟、閉まり具合の判定、及び土層構成を把握するための試料を採取する試験方法	粘性土、砂質土、砂礫（90％粒径がサンプラー外形を超えないもの（いわゆる玉石は不適））、軟岩	N値、土層構成
②スクリューウエイト貫入試験		JIS A 1221（スクリューウエイト貫入試験方法）（旧　スエーデン式サウンディング試験方法）	自然地盤及び人工地盤を対象として、スクリューウエイト貫入試験装置を用いて、地盤の硬軟、締まり具合及び土層構成を評価するための静的貫入抵抗を求める試験方法	深さ10m程度の軟弱地盤（密な砂質地層、礫、玉石層や固結地層は不適）	土層構成の把握、静的貫入抵抗の値（Wsw、Na、Nsw）
③機械式コーン貫入試験		JIS A 1220（機械式コーン貫入試験方法）	圧入装置を地盤中にアンカーで固定して、その反力を利用して貫入先端を静的に圧入する試験方法	粘性土、砂質土（極めて密な砂層、砂礫層、玉石層、非常に軟弱な地盤は不適）	地盤構成、土の種類、地盤定数（コーン貫入抵抗、周面摩擦抵抗、総貫入力、総周面摩擦力、摩擦比）の推定に利用
④ポータブルコーン貫入試験		JGS 1431（ポータブルコーン貫入試験方法）	人力でコーンを静的に貫入させてコーン貫入抵抗値を求める試験方法	粘性土や腐植土などの軟弱地盤	土層断面図、一軸圧縮強さ及び粘着力への換算に利用
2）地下水調査					
①現場透水試験	非定常法による試験	JGS 1314（単孔を利用した透水試験方法）	測定用パイプ内の水位を一時的に低下又は上昇させ、平衡状態に戻る時の水位変化を経時的に測定する試験方法	地下水面より下方の飽和した地盤（透水係数が10^{-4}m/s程度以上と予想される砂質、礫質地盤は計測が難しため適用に注意）	地盤の透水係数
	定常法による試験		揚水又は注水して、測定用パイプ内の水位が一定となった時の流量を測定する試験方法	地下水面より下方の飽和した地盤、透水係数が10^{-5}m/s程度以上と予想される砂質、礫質地盤に適している	
②揚水試験		JGS 1315（揚水試験方法）	揚水時の揚水井、観測井の水位低下量及び揚水停止後の水位回復量を経時的に測定する試験方法	飽和した帯水層	帯水層の透水量係数T（又は透水係数k）、貯留係数Sを求め、地下水位以深の地盤掘削工事における地下水圧の低減、湧水の防止などを目的とした排水工法の設計に利用
③地下水位測定		JGS 1311（ボーリング孔を利用した砂質・礫質地盤の地下水位測定方法）	ボーリング孔を用いて地下水位を測定する方法	砂質、礫質地盤	地下水位
		JGS 1312（観測井による砂質・礫質地盤の地下水位測定方法）	観測井を用いて長期的に地下水位を測定する方法		
④間隙水圧測定		JGS 1313（ボーリング孔内に設置した電気式間隙水圧計による間隙水圧の測定方法）	ボーリング孔内に設置した電気式間隙水圧計を用いて間隙水圧を測定する方法	飽和した砂質地盤又は粘性土地盤	間隙水圧を求め、掘削工事現場における地下水対策の施工管理に利用

調査の種類と方法		適用又は参照する基準・規格・図書等	概　要	適用地盤又は適用土質	調査事項及び用途
3）物理探査・検層					
①弾性波速度検層（PS検層）	ダウンホール方式	JGS 1122（地盤の弾性波速度検層方法）	地盤内を伝播する弾性波（P波及びS波）の速度を測定する方法で、地表で起振してボーリング孔内で受信する測定方法	軟弱地盤から岩盤までのすべての地盤	・P波速度Vp、S波速度Vsから微小ひずみレベルでのポアソン比ν、せん断弾性係数G、ヤング率Eの算出に利用 ・工学的基盤面の設定、地盤種別の判定、地盤のモデル化に利用
	孔内起振受振方式		地盤内を伝播する弾性波（P波及びS波）の速度を測定する方法で、ボーリング孔内で起振及び受信する測定方法		
②常時微動測定		「地盤調査の方法と解説 2013」第3編 物理探査・検層 9.5 常時微動測定	換振器（地震計）、増幅器、記録器を用いて地盤上や構造物上での常時微動を測定する方法	土と岩のあらゆる地盤	・表層地盤の振動の卓越周期と増幅特性の推定、地盤種別の判定に利用
③電気検層	ノルマル検層	JGS 1121（地盤の電気検層方法）	ボーリング孔内に電流を流す電極と電位を測定する電極を配置して、十分離れた地表に配置した電極で電位差を測定することにより比抵抗を測定する方法	地下水面以深にある軟弱地盤から岩盤までのすべての地盤	・見かけ比抵抗ρ_a ・地層の層厚分布、挟み層の検出、帯水層の検出、不透水層の判定に利用 ・ボーリングコアがない区間の地層の推定、亀裂帯・粘土化帯などの弱層の判定に利用など
	マイクロ検層		ノルマ検層の孔内電極の電極間隔を短くし、電極を孔壁に圧着させて比抵抗を測定する方法		
	自然電位検層		ボーリング孔周辺に自然に発生している電位を孔内で測定する方法		
④微動アレイ探査		「地盤調査の方法と解説 2013」第3編 物理探査・検層 9.6 微動アレイ探査	地表に群配置した受振器で同時に常時微動を観測し、表面波成分を利用して位相速度を測定する方法	土と岩のあらゆる地層	位相速度に基づき地下のS波速度構造の推定に利用
⑤弾性波探査（屈折法）		「地盤調査の方法と解説 2013」第3編 物理探査・検層 第4章 弾性波探査（屈折法）	地表に測線上に配置した受振器で人工的に発生させた弾性波の伝播を測定する方法	土と岩のあらゆる地層	岩盤の分類、切土法面の安定性評価、掘削難易性の評価、構造物基礎地盤の評価などに利用
⑥表面探査法		「地盤調査の方法と解説 2013」第3編 物理探査・検層 9.4 表面波探査	人工的に表面波（レイリー波）を発生させ、伝播する表面波を測定する方法	土と岩のあらゆる地層	市街地での住宅地盤調査、地中埋設管路敷設地盤調査、液状化予測調査、地盤改良評価調査、空洞調査などに利用
⑦密度検層		「地盤調査の方法と解説 2013」第3編 物理探査・検層 10.6 密度検層 参考：JGS 1614（RI計器による土の密度試験方法）	ボーリング孔を利用して原位置で地盤の密度分布を深さ方向に連続して測定する方法で、放射性同位元素から放射されるガンマ線を用いて測定する方法	土と岩のあらゆる地層	地盤の密度分布、乱れの少ない試料採取が困難な砂礫や層厚の薄い地層の密度の算出に利用
4）載荷試験					
①平板載荷試験		JGS 1521（平板載荷試験方法）	地盤面に設置した載荷板を加圧して荷重と変位量を測定する方法	盛土等の人工地盤、土と岩のあらゆる地層	極限支持力、地盤反力係数K_v、変形係数E_D、接線弾性係数E_t、割線弾性係数E_s、クリープ率C_fの算出に利用
②孔内載荷試験	プレッシャーメータ試験（等分布荷重方式1室型又は等分布荷重方式3室型）	JGS 1531（地盤の指標値を求めるためのプレッシャーメータ試験方法）	ボーリング孔において孔壁面を一様な圧力で載荷することによって、孔壁の圧力、変位量を測定する方法	孔壁面が滑らかで自立する地盤	地盤の変形係数E、降伏圧力P_y、極限圧力P_lの算出に利用
	ボアホールジャッキ試験	JGS 3532（ボアホールジャッキ試験方法）	ボーリング孔において孔壁面を剛体載荷板により等変位載荷方式で加圧して載荷圧力、変位量を測定する方法	孔壁面が滑らかで自立する地盤	地盤の降伏圧力P_y、地盤反力係数K、変形係数Eの算出に利用

JGS：地盤工学会基準、JIS：日本産業規格
参考文献：(公社)地盤工学会、地盤調査の方法と解説 2013

4-1-2　ボーリング孔内の原位置試験と必要なボーリング孔径

規格・基準番号	原位置試験・サンプリング方法の名称	ボーリング孔径（mm）				対　象
		66	86	116	150以上	
JIS A 1219	標準貫入試験方法	○	○	○	△	孔底
JGS 1121	地盤の電気検層方法	○	○	○	○	孔壁
JGS 1122	地盤の弾性波速度検層方法	○	○	○		孔壁
JGS 1221	固定ピストン式シンウォールサンプラーによる土試料の採取方法	△	○	○		孔底
JGS 1222	ロータリー式二重管サンプラーによる土試料の採取方法		△	○		孔底
JGS 1223	ロータリー式三重管サンプラーによる土試料の採取方法			○	△	孔底
JGS 1224	ロータリー式スリーブ内蔵二重管サンプラーによる試料の採取方法	○	○	○	△	孔底
JGS 3211	ロータリー式チューブサンプリングによる軟岩の採取方法	○	○	○	△	孔底
JGS 1311	ボーリング孔を利用した砂質・礫質地盤の地下水位測定方法	△	○	○	△	孔底・孔壁
JGS 1312	観測井による砂質・礫質地盤の地下水位測定方法	△	○	○	△	孔底・孔壁
JGS 1313	ボーリング孔内に設置した電気式間隙水圧計による間隙水圧の測定方法	△	○	○	△	孔底・孔壁
JGS 1314	単孔を利用した透水試験方法	△	○	○	△	孔底・孔壁
JGS 1315	揚水試験方法				○	孔壁
JGS 1317	トレーサーによる地下水流動検層方法	○	○	○		孔壁
JGS 1321	孔内水位回復法による岩盤の透水試験方法	○	○	○		孔底・孔壁
JGS 1322	注入による岩盤の透水試験方法	○	○			孔底・孔壁
JGS 1323	ルジオン試験方法	○				孔壁
JGS 1411	原位置ベーンせん断試験方法	○	○			孔底
JGS 1531	地盤の指標値を求めるためのプレッシャーメータ試験	○	○	○	△	孔壁
JGS 3531	地盤の物性を評価するためのプレッシャーメータ試験	○	○	○	△	孔壁
JGS 3532	ボアホールジャッキ試験	○	○	○	△	孔壁
JGS 1731	地中ひずみ計を用いた地すべり面測定方法		○	○		孔壁
JGS 1911	ロータリー式スリーブ内蔵二重管サンプラーによる環境化学分析のための試料の採取方法	○	○	○	△	孔底
JGS 1912	打撃貫入法による環境化学分析のための試料の採取方法	○	○	○	△	孔底

備考：△は標準的ではない。

JIS：日本産業規格、JGS：地盤工学会基準

引用文献：(公社)地盤工学会、地盤調査の方法と解説 2013、表2.2.1、p170

4-1-3　基準化されたサンプリング法におけるサンプラーの構造と適用地盤の関係

サンプリング法		サンプリングカテゴリー	構造	地盤の種類										
				粘性土			砂質土			砂礫		岩盤		
				軟質	中くらい	硬質	ゆるい	中くらい	密な	ゆるい	密な	軟岩	中硬岩	硬岩
				N値の目安										
				0～4	4～8	8以上	10以下	10～30	30以上	30以下	30以上			
固定ピストン式シンウォールサンプラー（JGS 1221）	水圧式	A	単管	◎	◎	○、◎[1]	○、◎[1]	◎[1]	◎[1]					
	エキステンションロッド式	A	〃	◎	○		○							
ロータリー式二重管サンプラー（JGS 1222）		A	二重管		◎	○								
ロータリー式三重管サンプラー（JGS 1223）		A	三重管		◎	◎	○	◎	◎		○			
ロータリー式スリーブ内蔵二重管サンプラー（JGS 1224）		A、B	二重管	○	○	○	○	○	○	○	○	◎	◎	◎
ブロックサンプリング（JGS 1231）		A	−	◎	◎	◎	○	○	◎		○	○		
ロータリー式チューブサンプリング（JGS 3211）		A	多重管			○						◎	○	

◎適している、○適用可能、1）小径倍圧型水圧式サンプラー

JGS：地盤工学会基準

サンプリングカテゴリー　A：試料採取や土試料を扱う中で土の構造の乱れがほとんど無いか、無いもの。そして含水比や間隙比が原位置のそれと等しい。土の構成や化学成分の変化が無い。

B：土の構造は乱れているが含水比や構成は原位置のそれと同じである。土層やその構成は特定できる。

C：土の構造が全体的に変化している。土層やその構成が原位置の状態から変化して正確に特定できない。含水比も原位置のそれを反映している。

引用文献：（公社）地盤工学会、地盤調査の方法と解説 2013、表1.2.1、p202

4－2 土質試験の種類・方法及び試験結果の利用

4－2－1 土質試験の種類・方法及び試験結果の利用

試験の種類	参照基準・規格等	試料の状態	対象土	試験結果から得られる主な値	試験の目的又は結果の利用
(1) 物理試験					
①土粒密度試験	JIS A 1202（土粒子の密度試験方法）	乱した	すべての土	土粒子の密度 ρ_s	土の基本的性質（間隙比 e、飽和度 S_r）、粒度試験（沈降分析）（粒径 d、土の質量百分率 M）の算定に利用
②含水比試験	JIS A 1203（土の含水比試験方法）	乱した	すべての土	含水比 w	土の基本的性質（間隙比 e、間隙率 n、飽和度 S_r）の計算、力学的性質（圧縮指数、一軸圧縮強さ）の推定に利用
③粒度試験	JIS A 1204（土の粒度試験方法）	乱した	高有機質土以外のすべての土	最大粒径、粒径加積曲線、粒径 D と質量百分率 P(d)、均等係数 U_c、曲率係数 U_c'	土の分類、粒度分布の状態、透水性の判断、液状化強度の推定、一軸圧縮強さの補正に利用
④液性限界・塑性限界試験	JIS A 1205（土の液性限界・塑性限界試験方法）	乱した	すべての土	流動曲線、液性限界 w_L、塑性限界 w_p、塑性指数 I_p	細粒土の分類、力学的性質（圧縮指数、圧密係数、一軸圧縮強さ）の推定、土の状態や性質（コンシステンシー指標 I_c、液性指標 I_L、活性度 A、塑性比 P_r）の把握に利用
⑤細粒分含有率試験	JIS A 1223（土の細粒分含有率試験方法）	乱した	高有機質土以外のすべての土	細粒分含有率 F_c、最大粒径	土の分類、液状化強度の推定の際のパラメーター、盛土材の適否の検討に利用
⑥湿潤密度試験	JIS A 1225（土の湿潤密度試験方法）	乱さない	自立するすべての土	含水比 w、湿潤密度 ρ_t、乾燥密度 ρ_d、土粒子の密度 ρ_s が既知の場合は間隙比 e、飽和度 S_r	土の締まり具合や構造などの土の状態、地盤の支持力、沈下検討時の土被り荷重、斜面安定や土圧算定の自重計算に利用
(2) 変形・強度試験					
①一軸圧縮試験	JIS A 1216（土の一軸圧縮試験）	乱さない	粘性土、自立する砂質土	一軸圧縮強さ q_u、圧縮ひずみ ε_{50}、変形係数 E_{50}	原地盤の非排水せん断強さの推定に利用
②一面せん断試験	JGS 0560（土の圧密定体積一面せん断試験方法）	乱さない	最大粒径 0.85 mm 以下の土	定体積せん断強さ τ_f	土の強度定数（c_{cu}、ϕ_{cu}）（c'、ϕ'）の算定に利用
	JGS 0561（土の圧密定圧一面せん断試験方法）			定圧せん断強さ τ_f	土の強度定数（c_d、ϕ_d）の算定に利用

試験の種類		参照基準・規格等	試料の状態	対象土	試験結果から得られる主な値	試験の目的又は結果の利用
③三軸圧縮試験	非圧密非排水（UU）三軸圧縮試験	JGS 0521（土の非圧密非排水（UU）三軸圧縮試験方法）	乱さない	飽和した粘性土、飽和度の高い土にも準用可	強度定数（C_u、ϕ_u）、非排水せん断強さS_u	比較的透水性の小さい地盤に排水が生じないような急速な載荷速度で荷重が作用する時の地盤の圧縮強さ、変形特性を求める。
	圧密非排水（CU）三軸圧縮試験	JGS 0522（土の圧密非排水（CU）三軸圧縮試験方法）	乱さない	飽和した粘性土、飽和した粗粒土にも準用可	強度定数（C_{cu}、ϕ_{cu}）、非排水せん断強さS_u 強度増加率S_u/p	地盤が載荷重によって圧密されて強度を増した後に、排水が生じないような条件の下で新たに急速な載荷を受ける時の地盤の圧縮強さ、変形特性を求める。
	圧密非排水（$\overline{CU}$）三軸圧縮試験	JGS 0523（土の圧密非排水（$\overline{CU}$）三軸圧縮試験方法）	乱さない	飽和した粘性土、飽和した粗粒土にも準用可	間隙水圧を測定した有効応力による強度定数（C'、φ'）、非排水せん断強さS_u、強度増加率S_u/p	CU試験と同じ、加えて間隙水圧を測定することによって有効応力解析に必要な強度定数（C'、φ'）を得るための情報を求める。
	圧密排水（CD）三軸圧縮試験	JGS 0524（土の圧密排水（CD）三軸圧縮試験方法）	乱さない	飽和した土、最大粒径20mm程度を超える飽和していない粗粒土にも準用可	強度定数（C_d、ϕ_d）	地盤が載荷重によって圧密されて強度を増した後に、地盤内に過剰間隙水が生じない条件でせん断される場合の地盤の圧縮強さ、変形特性を求める。
④繰返し三軸試験	液状化強度特性試験	JGS 0541（土の繰返し非排水三軸試験方法）	乱さない	飽和した砂質土、飽和した粘性土及び礫質土にも準用可	液状化強度比R、繰返しせん断応力比L、液状化安全率F_L	地震時の液状化の予測に利用
	動的変形特性試験	JGS 0542（地盤材料の変形特性を求めるための繰返し三軸試験方法）	乱さない	粘性土、砂質土、礫質土、軟岩、改良土など	等価ヤング率E_{eq}、等価せん断剛性率G_{eq}、履歴減衰率h	地震時の地盤や構造物の挙動、交通荷重などの動的解析に利用
⑤ねじりせん断試験		JGS 0543（土の変形特性を求めるための中空円筒供試体による繰返しねじりせん断試験方法）	乱さない	粘性土、砂質土	等価せん断剛性率G_{eq}、履歴減衰率h	地震時の地盤や構造物の挙動、交通荷重などの動的解析に利用
⑥室内透水試験	定水位透水試験	JIS A 1218（土の透水係数）	乱した	透水係数の比較的大きい土	温度15℃に対する透水係数k_{15}	地盤の透水性の評価、ドレーン材やフィルター材の排水機能の評価、止水材としての粘性土の評価等に利用
	変水位透水試験			透水係数の比較的小さい土		

試験の種類	参照基準・規格等	試料の状態	対象土	試験結果から得られる主な値	試験の目的又は結果の利用
(3) 圧密試験					
①段階載荷圧密試験	JIS A 1217（土の段階載荷による圧密試験方法）	乱さない	粘性土（細粒分を主体とした透水性の低い飽和土）	圧縮指数 C_c、圧密降伏応力 P_c、体積圧縮係数 m_v、圧密係数 C_v	地盤の沈下量や沈下時間の予測、直接基礎採用可能性の検討に利用
②定ひずみ速度載荷圧密試験	JIS A 1227（土の定ひずみ速度載荷による圧密試験方法）	乱さない		圧縮指数 C_c、圧密降伏応力 P_c、体積圧縮係数 m_v、圧密係数 C_v、透水係数 k_t	
(4) 安定化試験					
締め固めた土の CBR 試験	JIS A 1211（CBR 試験方法）	乱した	目開き 37.5mm ふるいを通過する土	CBR、設計 CBR、修正 CBR	アスファルト舗装の厚さ、路床材料や路盤材料の評価や選定に利用
乱さない土の CBR 試験		乱さない	すべての土		

参考文献：(公社)地盤工学会、地盤材料試験の方法と解説 2009

4-2-2　地盤材料の工学的分類（JGS 0051）

粒径（mm）

0.005　0.075　0.25　0.85　2　4.75　19　75　300

粘　土	シルト	細砂	中砂	粗砂	細礫	中礫	粗礫	粗石（コブル）	巨石（ボルダー）
		砂			礫			石	
細粒分		粗　粒　分						石　分	

図１　地盤材料の粒径区分とその呼び名

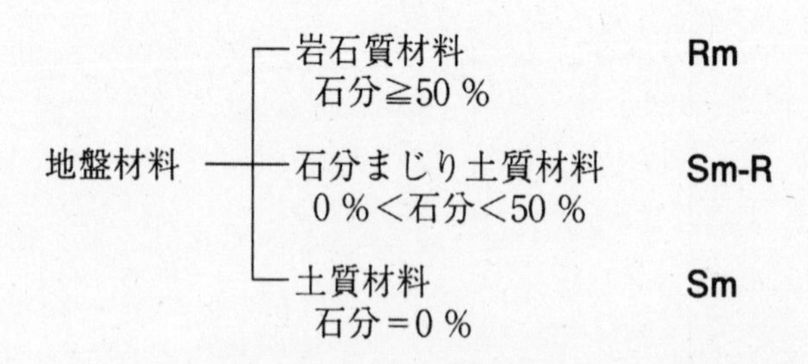

図２　地盤材料の工学的分類体系

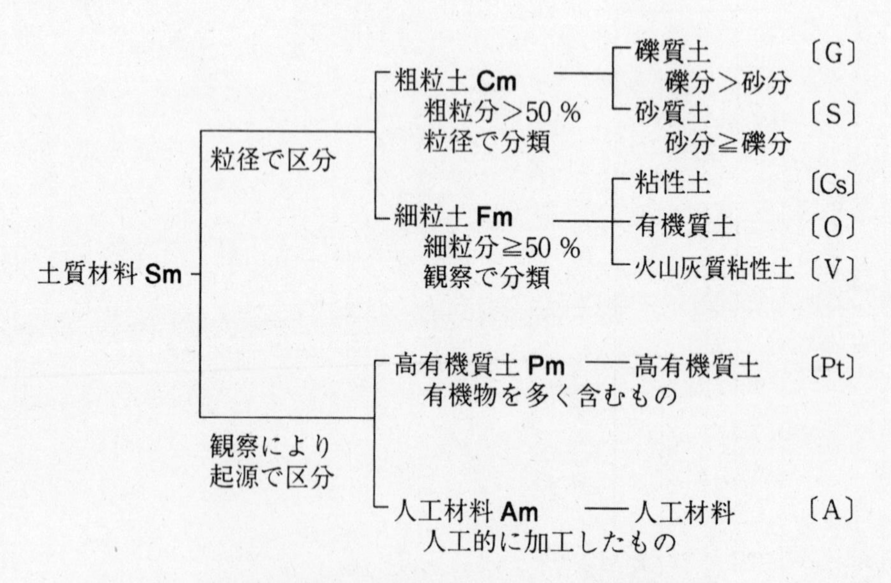

図３　土質材料の工学的分類体系（大分類）

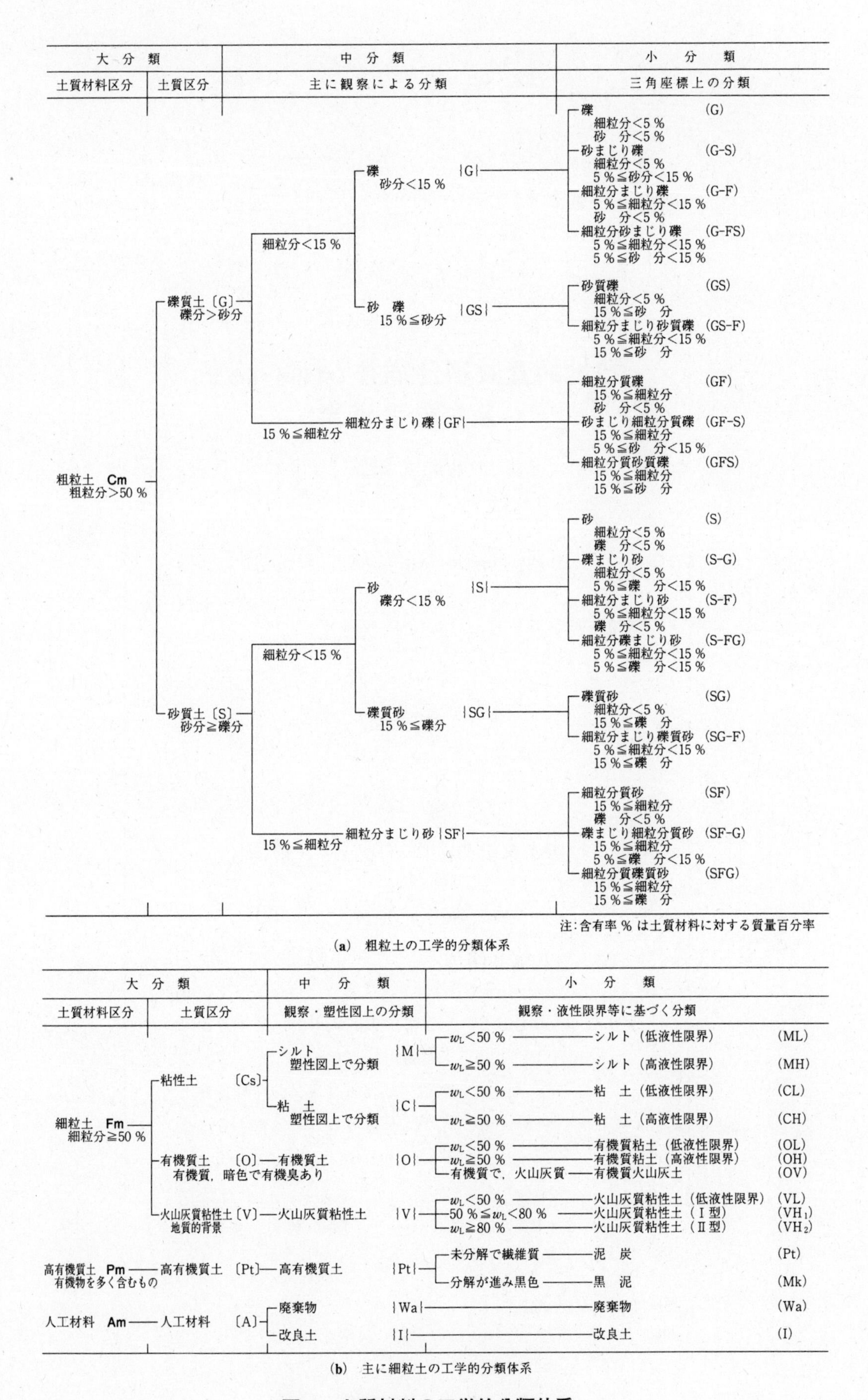

(a) 粗粒土の工学的分類体系

(b) 主に細粒土の工学的分類体系

図4 土質材料の工学的分類体系

引用文献:(公社)地盤工学会、地盤材料試験の方法と解説 2009、p54-56

敷地調査共通仕様書（令和４年改定）
及び参考資料

令和５年版

定価 1,980 円（本体 1,800 円＋税 10%）　送料実費

令和５年３月７日　　第１刷　発行

〔検印省略〕

監　修
国土交通省大臣官房官庁営繕部

編集・発行
一般社団法人　公共建築協会

〒104－0033　東京都中央区新川１－２４－８
東熱新川ビル６階
電話　０３（３５２３）０３８１
FAX　０３（３５２３）１８２６
URL　https://www.pbaweb.jp/

印刷・製本 ／ 磯崎印刷株式会社

ISBN978-4-908525-45-2
C3052